어쩌다, 해외살이

어쩌다, 해외살이

발 행 | 2024년 08월 01일
저 자 | 해외굿쨱 61인
펴낸이 | 한건희
펴낸곳 | 주식회사 부크크
출판사등록 | 2014.07.15(제2014-16호)
주 소 | 서울특별시 금천구 가산디지털1로 119 SK트윈타워 A동 305호
전 화 | 1670-8316
이메일 | info@bookk.co.kr

ISBN | 979-11-410-9733-2
www.bookk.co.kr
ⓒ 해외굿쨱 2024

어쩌다,
해외살이

좌충우돌 해외 사는 61인의 이야기

해외굿쨀 61인 지음

타인의 나라에서 나의 모습을 발견할 때,

비로소 나는 나 자신이 된다.

- 알베르 카뮈 -

프롤로그

<어쩌다, 해외살이>는 다양한 이유와 목적으로 해외에서 살아가고 있는 61명의 이야기를 담은 에세이집입니다.

해외굿쩍은 전 세계 30여 개국의 해외살이하고 있는 이들이 모인 커뮤니티입니다. 해외굿쩍이란 이름으로 만나 각자 사는 곳의 손 사진을 모으는 챌린지를 하기도 하고, 버추얼로 합창대회도 진행한 대단한 사람들이기도 하죠. 이번엔 우리들의 이야기를 글로, 그리고 책이라는 물성 있는 것으로 남겨보고 싶어 겁 없이 시작했습니다.

각양각색의 이유로 해외에 흩어져 살아가지만, 한국인이라는 정체성으로 눈빛 하나로도 마음이 통하는 사이입니다. 꿈을 위해, 생존을 위해 살아가기에 생각처럼 화려하지도 멋스럽지 않을 때도 있습니다. 오랫동안 살아도 여전한 문화 차이, 언어 장벽, 생각 차이로 소통의 어려움이 늘 숙제처럼 남아 있습니다. 하지만 살다 보니 보이는 것이 있고, 살다 보니 이곳 또한 '사람 사는 곳'이라는 생각도 듭니다. 그리고 이젠 제2의 고향처럼 포근하기도 합니다.

어쩌면 각양각색의 이유로, 해외에 살고 있는 우리들이기에 이 책의 제목 <어쩌다, 해외살이>는 딱 맞는 제목이었는지도 모릅니다. 오랫동안 해외 거주한 사람, 잠깐 유학 왔다 머무른 사람, 이민으로 온 사람, 꿈을 품고 온 사람 등등 다양한 나라에 거주하는 것만큼 그 이유도 여러 가지입니다. 그러나 이야기를 나누다 보면 나와 닮아 있어 놀라기도 하고, 전혀 생각지 못한 모습으로 살아가는 모습들을 봅니다. 때론 소수민족이라 설움을 당하기도 하지만, 또 내가 속한 곳에서 자랑스러운 한국인의 모습으로 당당하게 살아가고 있기도 하고요.

거주하는 나라도 직업도 살아가는 모습도 모두 다르지만 '해외에 살고 있는 한국인'이라는 정체성은 변하지 않는 것 같습니다. 그 이전엔 느끼지 못한 찐한 감정들을 느끼기도 하고, 한국인이기에 더 조심하고, 대표성을 가진 모습으로 살아가기도 하니까요.

책 속 이야기를 읽으며, 해외에 살고 있는 다양한 모습들을 통해 '대한 한국인'의 삶을 직간접적으로 만나는 시간이 될 것입니다. 내 가족, 친구, 동료의 모습을요.

해외에 나오면 전 세계 어디에서도 반갑게 인사 나눌지 또 아나요? 어쩌다 해외살이하는 우리들의 이야기 속에서 울고 웃는 시간 보내시길 바랍니다.

자, 이제 전 세계에서 살고 있는 우리들의 이야기 시작합니다.

차례

어쩌다, 해외에서 살게 되었나요?

주재원 가족으로 왔어요 | 선택권 없이 가족 이민으로 | 신행 갔다가 눌러앉음
자유를 찾아 계획이민 | 막연한 동경으로 시작 휴양차 왔어요
어학 챌린지에서 영주로 | 외국에서 회사를 다니는 남자랑 결혼했어요
그냥 궁금해서요 | 역마살이 있나 봐요 | 그냥 미국이 궁금했어요
넓은 세계에 대한 도전 해외 취업했어요 회사가 외국 회사에요
남편 유학으로 왔어요 | 가족의 여유로운 삶을 위해 | 사랑에는 국경이 없길래
3년 예정이 24년 되었어요 | 내 삶이 있는 일이 하고 싶었어요
해외살이가 꿈이었어요 | 유학 왔다가 다문화가족 | 더 큰 무대에서 일하고 싶어서

01

———

모두 나가 주세요.

가솔송 (미국/애틀랜타)

결혼하면서 미국에 오게 되었다. 첫째 딸(5세) 둘째 아들(3살)을 키우며, 미국이라는 나라에 대해 천천히 배우는 중. 낯선 것들에 대한 두려움이 있지만, 도전하는 삶을 살아가고 있다.

새벽 6시에 첫째 딸의 점심 도시락을 싸며 하루를 시작한다. 볶음밥에 냄새가 나지 않도록 참기름을 빼고, 케첩과 달걀부침, 과일을 더해 도시락을 완성한다. 가방에 물통과 간식, 도시락을 넣고 준비를 마친다. 아이를 깨우고 세수하게 한 뒤, 둘째의 기저귀를 갈아준다. 첫째는 느긋하게 옷을 입고 아침을 먹으며 학교 갈 준비를 한다. 학교가 20분 거리라 서두르는 나와 달리 첫째는 여유롭다. 오늘은 급식실 봉사활동이 있는 날이라 첫째가 물었다.

"엄마, 오늘 급식 시간에 오는 거지?"

"어. 급식실 봉사활동 가는 날이어서 오늘 학교에 가. 이따가 만나자."

첫째가 4살이 되자 프리케이(pre-k)를 갈 수 있게 되었다. 내가 살고 있는 조지아주에서는 무료이기 때문에 꼭 보내고 싶었다. 정식 학교 과정인 킨더(kinder)를 들어가기 전 프리케이(pre-k)를 다니면 킨더 갈 준비를 해준다고 들었다. 영어 유치원을 다니지 않고 집에만 있었기에, 영어 유치원을 다닐 적절한 시기라는 생각이 들었다. 영어를 알아듣지도 쓰지도 못하는 아이를 학교에 보내다 보니, 불안감이 컸다. 아이는 한 달 정도 학교 가는 것을 힘들어했다. 간단한 영어만 할 수 있다 보니 스트레스가 이만저만이 아니었을 것이다.

아이에게 작은 도움이라도 되고 싶어서 한 달에 한 번 있는 봉사활동을 하게 되었다. 미국 학교 내에 부모님들의 봉사활동을 활발하게 이루어지고 있었다. 아이들은 학교에 봉사활동 하러 오는 부모님을 자랑스럽게 생각하며 거기에 힘을 많이 받는다고 들었었다. 영어가 익숙지 않고 놀이터를 가도 다른 미국 부모가 말을 걸까 꺼렸던 나에겐 봉사활동은 큰 산이었다. 솔직히 고백하자면 봉사활동 하러 가는 그 주부터 스트레스를 받기 시작했다. 3살인 둘째도 함께 가야 했기에 어려움은 배였다.

첫째를 학교에 바래다주고 집으로 와서 학교 갈 준비를 했다. 둘째 간식을 잔뜩 가방에 챙기며 하는 데까지 해보자며 학교에 갔다. 급식실 봉사활동은 어려운 것은 아니었다. 저학년생들은 치즈 까주기, 물 뚜껑 따주기, 종이 팩 우유 따주기 등이 있었다. 고학년생들은 화장실 가도 되냐는 질문과 함께 예상 못한 질문들이 있었다. '렌치'라고 말을 했는데 못 알아들어 다른 사람에게 도움을 청하니 '렌치 소스'였고, '텐 바이텐'이 뭐냐는 질문에 당황해하기도 했었다. 나중에 보니 10 곱하기 10이었다. 문맥 없이 갑자기 영어로 물어보니, 당황하기 일쑤였지만, 12시 반에 첫째가 밥 먹으러 오기만 기다렸다.

초등학교 5년 친구들이 밥 먹는 테이블에서 한 남학생이 엎드려져 있었다. 같이 봉사활동을 하던 학부모가 먼저 그 학생을 살폈다. 요동도 없고 그냥 엎드려져 있었다. 간혹 밥 먹기 싫은 학생들이 엎드려져 있기에 그런 줄로만 알았다. 그런데 급식실 담당하시는 보건 선생님이 오셔서 그 아이를 일으켜 세우려고 했고, 그 애는 다시 고개를 숙이고 엎드렸다. 그러자 급식실에 있던 아이들은 자연스럽게 그 아이에게 시선이 쏠렸다. 이목이 집중이 되자 교감 선생님이 나타나셨다. 교감 선생님께서 급식실에 있는 모든 사람들에게 "모두 나가주세요."라고 외치셨다. "모두 나가주세요."라는 말을 처음 들었을 때 잘못 알아들은 줄 알았다. 그전에도 몇 번을 봉사활동을 했지만, 이런 적은 처음이었다. 아이들은 먹던 급식을 들고 줄을 서서 각자의 반으로 돌아갔다. 첫째를 못 만나고 급식 봉사활동도 끝이 나버렸다. 둘째와 함께 밖을 나오니 구급차 한 대가 세워져 있었다. 아이에게 어려움이 있었고, 그 어려움을 선생님들이 적극적으로 행동으로 보였다. 한 명을 위해서 다른 반 학생들이 반으로 돌아간 것은 놀라웠다.

한국에서의 삶은 다수를 위해 소수가 포기하는 분위기였다. 개인보다는 우리라는 집단이 중요했었고, 여기에 어울리는 사람이 되도록 교육받고 혹은 강요받았었다. 한국보다 미국에서 정신, 육체적으로 아픈 아이들을 키우기가 좀 더 수월하다는 얘기를 들었던 적이 있었다. 실제로 그런 상황들을 겪어보니 놀라웠다. 아픈 친구들을 배려하는 분위기가 낯선 미국 생활에 적응하는 데 온기를 가져다주었다.

02

이고 지고 가는 기쁨

감오니 (일본/고후)

익숙함과 불편함을 동시에 가진 채 열심히 살아가고 있는 감오니 김정희이다. 2003년부터 남편의 직장 생활로 초등생인 두 딸과 포도, 복숭아 산지이며, 다양한 풍경을 즐길 수 있고, 어느 장소든 후지산을 볼 수 있는 일본 고후에서 살고 있다. 주얼리 CAD 디자이너로 15년 이상 주얼리 제작, 개인 브랜드 GAMONii 를 운영 중이며, 의뢰받은 제품을 디자인하는 업무를 하고 있다. 작고 세밀한 작업이지만, 미지의 어느 분들이 애장품으로 소장한다는 생각에, 공헌이라는 기쁨으로 직업의 창조성을 즐기고 있다.

무엇을 이고 지고 가게 만들까?

외국 생활을 하게 되면서 현지에서 구할 수 없는 여러 물건들과 음식 재료들을 잔뜩 사 들고 다니게 되었다. 간혹 방송을 보면 외국 여행 갈 때 김치와 얼큰한 음식들을 가지고 가는 것이 이해가 되는 것처럼…. 그래서 인지 한국에 가는 날이 오면, "오래간만에 왔으니"를 외치며 가방 가득, 손 가득 가지고 가게 된다. 다음에는 꼭 가볍게 갔다 와야지 하는 마음인데 어느 사이에 이것저것 사는 나를 발견한다.

지금도 생각하면 가래떡을 한 말이나 뽑아서 들고 가려고 한 일이 어처구니없고 웃음이 난다.

먹겠다는 일념으로 새벽에 만든, 김이 펄펄 나는 떡이 맛있겠다는 단순한 생각을 했다. 쌀 8킬로를 떡으로 뽑았으니 얼마나 무거웠을까? 무게도 장난 아니고, 다른 짐들도 있었다. 여름 방학을 잘 놀다 가면 되는 것을, 그때까지는 즐겁고 들뜬 마음으로 이고 지고 공항으로 갔었다.

아니! 이런! 중량 초과!

생각지도 못한 일이 벌어진 것이다. 그때의 생각은 나의 소중한 가래 떡을 놓고 갈 수는 없었다. 눈물겹게 가래떡값보다 더 많은 돈을 지불하고 가지고 가기로 결심. 두둥~ 먹는 것도 먹는 거지만 떡값보다 더한 돈을 지불했으니, 손실에 대한 슬픔이 한동안은 갔었다. 아까워, 아까워!~ 하면서 맛있는 음식들은 목적지에 실려 갔고, 도착 후 미련하게 갓 뽑은 가래떡을 가지고 왔다고 한참을 신랑에게 하소연을 했었던 기억이 난다. 아~ 눈물 젖은 가래떡을 먹으며 쉽게 먹을 수 없는 것이라는 위로를 했다. 맛있게 나누어 아껴서 잘 먹고 나니, 두 배 이상의 꿀맛이기는 했었다.

그때는 비행기에 가져갈 수 있는 무게가 한 명당 30킬로였으니 세 명이면 90킬로, 100킬로까지는 눈감아주었다. 기내에도 꽤 많이 들고 갈 수 있을 때였는데, 떡이 20킬로가 넘었으니 지금 생각하면 참 많이 들고 들어갔었다. 이사 가는 사람처럼 어마어마하게 들고 다녔었다. "엄마, 무거워."라고 하던 아이들도 요즘 한국 과자 음식류가 다양해져서 자발적으로 들고 들어온다. 요즘은 예전보다 다양한 한국제를 현지에서도 살 수 있어 지금은 예전보다 가볍게 다니고 있다.

그중에서도 아직도 포기할 수 없는 것은 한국산 고춧가루이다. 아직도 매년 고춧가루가 든 박스가 가을쯤에 온다. 어디서든 살 수 있지만 한국에서 온다는 것이 마음을 들뜨게 한다.
오는 그즈음에 맞추어 여기서도 김장을 한다. 배추 맛이 다르지만, 맛있는 고춧가루로 만들어서인지 김치냉장고에 넣어 놓으면 오랫동안 맛있게 먹을 수 있다. 가까운 분들도 이 시기가 되면 김장하느라 다들 바쁘다. 한국이 아니어도 내가 사는 이곳은 김장하는 사람들의 모습이 많이 보인다. 외국에 살다 보니 유달리 한국 음식이 그립다. 여기와 다른 음식 재료들을 그리워하며 음식 애국자가 되나 보다.

5월에 심어 놓은 청양고추가 커가기를 지금 목 빼고 기다리고 있다. 작열하는 여름 어느 날, 된장 콕 찍어 먹는 날을 기다리며.

03

어느 글로벌 이방인의 고백

글로비상 (미국/애틀랜타)
글 쓰는 것과 책 읽는 것을 좋아하고, 예쁜 쓰레기 좋아하는, 소소하지만 명랑한 행복을 추구하는 내향인. 책을 매개로 다양한 사람을 만나며 책 만드는 매력에 빠져 오랫동안 출판사에서 일했다. 자유로운 영혼으로 살다 미국 사는 남자와 사랑에 빠져 하루아침에 애틀랜타댁이 되었다. 어쩌다 미국에 살면서 그동안 경험하지 못한 것들을 마흔 넘어 생생하게 체험 중이다.

여행 좋아하던 내게 공항은 늘 설렘의 장소였다. 그러나 어느샌가 슬픔의 장소가 되었다.

미국 사는 남자와 농담 반 진담 반으로 소개팅을 하고, 롱디하다, 결혼까지…. 그렇게 영화 같은 일이 내게도 일어났고, 적당한 무료함과 권태감을 느끼던 차에 미국살이를 선택하며, 하루아침에 애틀랜타댁이 되었다.

산책할 때 마주치는 이들이 한국인보다 외국인이 많고, 간단한 밥을 먹으려 해도 차를 타고 나가야 한다는 것, 급하면 뛰는 것이 익숙한 내가 이젠 웬만해선 뛰지 않는다는 것, 무엇보다 모든 것이 큰 사이즈에 더 이상 놀라지 않는다는 것. 그런 풍경을 대하면 비로소 미국에 왔구나, 미국에 살고 있구나 실감했다.

처음엔 낯선 곳이라 특별히 '내 일'이라 할만한 것도 없었다. 남편이 직장에 나간 후엔, 그가 돌아올 때까지 내 기다리는 것이 내 일. 맏이라 늘 누군가를 챙기다 보니, 누군가의 보살핌을 받는 것도 나쁘진 않았다. 그러나 어느 순간 미국 안에서 내가 할 수 있는 일이 점점 없어지기 시작했다. 교포인 남편은 영어가 일상이고, 어릴 때 이민 와서 한국어도 곧잘 하기에, 살면서 영어를 할 일도, 관공서 일 등 모든 것을 할 기회는 점점 더 없어졌다. 나 또한 그 삶에 익숙해졌달까, 길들었달까. 편안함이 어느 순간 불편하고 무기력증까지 왔다.

코로나 전까진 미국에서도 젊은 세대 중 집에서 지내는 이는 거의 없었던 것 같다. 남편 사촌들이나 친구들을 만나도 나처럼 집에서 쉬는 이는 나밖에 없었으니까. 처음이야 그렇다 해도, 횟수가 더해도 여전히 제자리걸음인 내 모습에 어느 순간 그런 자리도 피하며 더욱더 나만의 섬에 갇히고 말았다. 외국 나오면 한 번쯤 겪는다는 향수병이란 게 내게도 찾아오나 싶었다. 게다가 잠깐 있기로 한 C어머니와의 동거는 계속되며, 내 인생에 생각지 못한 드라마를 매일 찍었다. 잘해 주지만 불편하고, 30여 년 전 이민 온 세대라 현재에서 과거로 매번 시간 여행을 가야 했고, TV 속에서 본대로 한국을 이해하는 모자에게 현시대의 한국을 생중계해야 했다. 이 드넓은 미국이 내겐 한없이 좁아지는 것 같았다.

그즈음 영주권이 나와 한국을 방문하게 되었다. 이전엔 한없이 좁다고 생각한 한국에서 날갯짓하며, 조금 숨통이 트였다. 드넓은 미국보다 좁은 한국이 더 크게 느껴지는 순간이었다. 한국에 다녀온 후 얼마 뒤에 코로나가 터지면서 다시 한번 갇히게 되었다. 오히려 이전에 나 '만' 고립된 것 같았는데 시대도 서서히 변하고 있었다. 새 공부, 새 공간…. 내가 속해 있는 애틀랜타 지역에서 독서 모임을 한다길래 용기를 내 신청하고 첫 모임에 참석했다. 처음으로 미국에 있는 한국인들과 관심사도 비슷한 이들을 만나 이야기를 나누며, 얼굴만 한국인인 이들 사이에서, '진짜' 한국인을 만난 느낌이었다.

그 첫발 이후 MKYU에서 디지털 공부 등 새로운 세상을 배우고, 빛 바랜 꿈들도 다시 꺼내기 시작했다. 미국에선 미숙한 것투성이지만, 내가 할 수 있는 일부터 하나씩 시작하기로…. 다시 1살로 살아보기로…. 아기가 어른인 척 말기로…. 그렇게 생각하고 나니, 새로이 무언가를 배우거나 도전하는 것에 두려움이 조금씩 사라졌다. 한 점씩 찍으며 근 4년을 매일 점을 찍으며 연한 선이, 면이 되기 시작했다. 한없이 큰 미국 땅에서 나 홀로 작아 보였다. '1인분의 몫'도 못 하는 건 아닐까 조바심이 났는데, 세상 속에 그 한 점을 조금씩 내디디며 조금씩 나를 세워가고 있었다. 여전히 작지만, 주눅 들지 않았다. 작은 내 속에 새로운 꿈을 키우기 시작했으니까.

여전히 한국이 그리울 땐, 하늘 위로 날아오르는 비행기를 보며 아쉬움을 달래곤 한다. 설렘 가득한 맘으로 공항에 가서, 돌아올 땐 여전히 가족과 친구들이 눈에 밟히지만, 이젠 어느 한 곳에서, 둘을 잇는 곳이 되었다. 미국에서 한국으로 갔다가, 한국에서 미국으로 다시 돌아오는… 둘 중 하나만 선택하는 것에서 두 곳 모두에서 나를 만날 수 있는 글로벌 이방인이 되어가나 보다.

04

다시 역이민 갈까?

김로사 (호주/애들레이드)

나는 70을 코 앞에 두고 있는 시니어이다. 서울에 살다가 두 딸의 교육을 위해 호주로 이민을 왔고 우여곡절을 겪으며 많은 시간이 흘렀다. 이제는 아이들이 우리품을 떠나 독립하여 두 사람이 강아지 한 마리와 실버 라이프를 즐기고 있다. 나는현재 호주 정부 기관이 지원하는 프로그램에서 시니어 교민을 위한 서양화 교실을 운영하고 있으며 그 회원들과 틈틈이 골프를 즐기기도 한다. 머지않아 준비가되는 대로 회원들과의 단체전, 또 나 자신의 또 다른 개인전을 준비하고 있어 나름분주한 일상을 보내고 있다.

마음이 바쁜 가운데서도 정원을 가꾸고, 남편과 강아지를 데리고 동네를 산책하며 별걱정 없이 소일하고 있어 "인생은 60부터"라는 말이 실감나는 요즘이다.

하지만 가끔 접하는 한국 뉴스와 연 1회 정도 방문할 때마다 느끼는 고국의 발전된 모습을 볼 때마다 역이민에 대한 생각이 자꾸 떠올라 시시각각으로 마음이 혼란스럽다. 아이들이 어렸을 때는 한국의 위상이 현재처럼 대단하지 않았다. 지금은 한국이 너무나 많이 발전하고 노인 복지도 정말 좋아졌다. 이민을 오기 전에 TV를 통해서 또 이민자들의 이야기를 통해, 막연히 이민 생활이 낭만적이며 노후가 보장되는 아름다운 생활이라 생각했다. 딸아이들의 미래를 생각하자는 상투적인 핑계를 대며 잘나가는 남편을 강제적으로 설득 반 협박 반 하여 이민을 왔다. 다행히 어려운 여건에도 불구하고 아이들은 잘 성장하였다. 이제 자식들에 대한 책임과 의무가 없어지고, 부부만 남고 나니 가끔 고국의 산천과 형제자매, 지인들이 그리워질 때마다 앞으로 2~30년은 더 남은 삶을 어디에서 보내야 할지 늘 생각이 춤을 춘다. 평생 익숙했던 생활 환경과 자연과 지인들에 대한 미련이 가끔 가슴 한구석을 휘돌아 쳐 고국으로 돌아가는 것도 나쁘지 않겠다는 생각이 들 때마다….

서울 집을 팔지 말자는 내 말을 안 듣고 남편이 우겨서 집을 팔고 이민을 왔다. 우리 집이 아직 그곳에 남아 있으면 당장이라도 귀향할 텐데

하는 아쉬움이 들 때마다 남편이 원망스럽기도 하다. 무리를 해서라도 돌아가게 되면 주택 연금에 가입하던지 일을 해야 한다. 남편은 한국에서 했던 자기의 일을 좋아하고, 외국에 살면서도 가끔 한국에 나가 자기가 하던 일을 하곤 했다. 귀향하더라도 남편은 아마 조금은 더 일할 수 있을 것 같다. 희망적으로 나도 내 분야에서 작은 일이라도 찾을 수 있을지 모른다.

하지만 역이민을 결정하는 것은 쉬운 일이 아니다. 이민자라면 특별한 소수를 제외하곤 누구나 유사한 과정을 겪었을 터이지만 우리의 이민 초기 정착 과정은 상투적인 말 그대로 고난의 행군 같은 지난하고 힘든 과정이었다. 예를 들어, 집에 발생한 문제로 옆집의 보험회사와 우리 집 보험회사 간에 큰 분쟁이 발생했고 그 때문에 증인으로 법정에 두 번씩이나 출두했었다. 결국은 8년 만에야 종결되어 양 보험회사에서 반반씩 큰 비용을 들여 집 보수를 해주어 집이 업그레이드되기는 했다. 그러나 긴 시간 동안 양 보험 회사, 그들의 손해사정인, 변호사와의 얽힌 문제들 때문에 온 가족들은 정신적으로 지쳐버려 나중엔 집 문제에 대한 트라우마까지 생겼었다. 집에 발생한 문제, 사업 추진 과정에서 힘들었던 일들, 문화의 차이로 인한 어려움 등 정착 과정에서의 고난은 이제 끝나 나름 평화로운 나날을 보내고 있지만 나이가 들어감에 따라 귀소본능이 발현되는지 요즘은 역이민으로 고민할 때가 종종 있다. 아직은 체력이 받쳐주어 필요할 때마다, 최소 연 1회씩은 한국을 오고 가며 형제, 친지들과 만나 회포를 풀며 타향살이의 외로움을 달래고는 있지만 머지않아 체력적인 문제로 비행기도 못 탈 것이라는 생각을 하면 더욱 조바심이 생기기도 한다.

하지만 백 퍼센트 만족하며 사는 삶이 어디 있겠는가? "내려다보며 살아라 올려다보면 못 산다." 내가 가끔 삶에 대해 투정할 때마다 이렇게 친정어머니는 말씀하셨다. 친정어머니의 그 말씀들을 생각하며 현재에 감사하자고 스스로를 위로한다. 이만하면 처음 이민을 생각했을 때의 소망은 이루어진 것 아닐까? 오래 미뤘던 100호를 끝냈으니, 내일은 구상했던 화려한 색으로, 소품을 새로 시작해 보려 한다. 결국 살아간다는 것은 하나의 작품을 완수하는 것과 비슷하지 않을까 생각한다. 당분간은 역이민 등 머리 아픈 단어들은 잊어버리고 또 하루하루를 지내봐야 하겠다. 순간순간 다시 고국에 대한 그리움과 역이민에 대한 생각이 나를 혼란스럽게 만들겠지만 그럼에도, 이곳에서 살아갈 순간들을 사랑한다.

05

빛을 향해

꽃물갬성 (미국/클레어몬트)

맑고 푸른 바다, 주문진이라는 어촌마을에서 태어났다. 어린 시절 말더듬증으로 인해 대인공포와 낮은 자존감, 외로움을 많이 느꼈다. 의기소침과 불안장애로 삶의 많은 부분을 포기하며 살다가 우연히 기차에서 삶의 귀인을 만나 아는 사람 하나 없는 미국으로 올 수 있었다. 미국은 기독교 문화를 바탕으로 다양한 인종과 다양한 문화를 지닌 나라여서 나의 말더듬증도 하나의 다른 모습으로 배려하고 존중해주었다. 캘리포니아의 아름다운 자연 속에서 아이들과 식물로 천연염색을 하며 내면이 치유되었고 <엄마, 꽃으로 물들이기 해요!> 천연염색 책을 출간했다. 삶의 보석들 아이 셋과 Claremont의 Mt. Baldy 산 아래에서 행복하고 감사하게 살아가고 있다.

내가 살고 있는 미국 캘리포니아 클레어몬트까지의 삶은 나를 향하신 하나님의 뜻을 알아가고 순종하는 삶의 과정이라고 말하고 싶다. 클레어몬트라는 아름다운 자연에 살면서 내면은 성경의 말씀 위에 뿌리를 내려 감사로 꽃을 피우며 열매를 맺고 있다.

애벌레가 나비가 되어 꽃을 향해 날아들고 식물들은 어둠에서 빛을 향해 뻗어 가듯 자연의 일부인 나 또한 무엇인가를 향해 살아온 것 같다. 수천 킬로미터를 날아 바다를 건너 긴 여행을 하는 나비들처럼 나역시 바다를 건넜다. 마음과 감각의 안테나를 세워 지금 여기 이곳까지 나를 향한 사랑의 빛, 생명의 이끌림으로 살아왔다.

강원도 주문진에서 태어나 고등학교를 마친 나는 바로 취업 전선에 뛰어들었다. 부끄럽지만 말더듬이라는 핑계로 꿈과 대학을 회피했고 내 삶의 영역은 극도로 좁아져 있었다. 마음 한구석에 꿈틀거리는 무엇, 이름 모를 불씨를 살려 서울로 대학을 갔다. 어느 날 우연히 기차에서 한눈에 알아볼 만큼 서로에게 중요한 사람을 만났다. 그 사람은 미국에 살았고 3년을 견우와 직녀처럼 방학을 이용해 만나면서 편지와 전화로 서로를 알아갔다. 자연스럽게 우린 미래를 계획했고 대학을 졸업하면서 미국으로 건너왔다.

미국에서의 생활은 경제적으로 녹록지 않았다. 다행히 취업의 폭이 넓은 산업디자인을 전공했기에 광고회사와 의류회사에서 디자인할 수 있었으며 시간제로 내가 할 수 있는 모든 일을 하며 경제적 압박에서 차츰 벗어날 수 있었다.

그러던 2001년 9월, 미국 여행을 계획하던 중 상상도 할 수 없는 끔찍한 일을 티브이로 목격했다. 오사마 빈 라덴의 주동으로 유나이티드 항공 175편이 미국 뉴욕 맨해튼에 있는 무역센터와 충돌을 했다. 온 미국이 공포와 두려움, 분노와 애도에 쌓여 있을 때 시국이 어수선했지만 우린 계획대로 암트랙 기차에 올라탔다.

엘에이에서 시애틀을 거쳐 동부로 향하고 있을 때 국경수비대가 기차를 멈춰 세웠다. 여러 명의 수비대가 올라타더니 주변을 수색하고 사람들 사이를 지나 유일한 동양인인 나와 약혼자에게 신분증 제시를 요구했다. 그 많은 사람 중에 왜 하필이면 우리였는지, 이런 일은 꿈에도 예상치 못했다. 당시 약혼자는 영주권자였고 나는 배우자로 영주권 신청이 진행 중이었는데 소지하고 있던 여권의 미국 체류 기간은 이미 지나 있었다. 기차에서 내려서 여러 가지 질문에 답을 했지만, 불충분한 증명으로 결국엔 불법체류자로 법정에 서야 했다. 그 뒤 여러 차례 추방재판을 받았으며 나름 법의 테두리 안에서 보호받고 있었다. 다행히 국선 변호사와 스폰서의 도움으로 추방은 면했다. 그러나 약혼자와의 미국 생활은 순탄하지 않았고 결국 우린 각자의 길을 갔다. 지나고 보면 누구의 잘잘못도 아닌 거기까지가 우리의 인연이었다.

나는 한국으로 돌아갈지, 미국에 남아 있어야 할지 깊은 고민을 해야만 했다. 몇 년이 채 되지 않았지만, 마음은 미국이 편하고 자유로웠다. 그리고 무엇보다 어렸을 때부터 말을 더듬어 온 나는 미국이란 나라의 다양성을 존중해주는 문화와 배려에 조금씩 말더듬이 회복되고 있다는 것을 느꼈다.

한국에서는 말더듬이라는 하나의 모습이 나의 전부인 양 사회의 차가운 시선에 자존감이 낮아졌지만, 미국에서는 나의 말더듬증을 나의 일부 혹은 서로 다른 모습으로 바라봐주었기에 말을 좀 더듬는다고 인간의 존엄성이 땅에 떨어지는 일은 없었다.

이후 나와 마음이 닮은, 자연을 좋아하는 남자를 만나 아이 셋을 낳았고 천연염색과 섬유공예를 하고 있다. 염색을 통한 내면 치유로 말을 쉽게 더듬을 수 있는 여유와 웃음이 생겼다. 한국에서 클레어몬트까지 하나님께서 열어주신 길과 곳곳에 마련해주신 인연에 감사와 찬양의 노래를 부른다. 자연을 좋아하는 내게 어울리는 동네와 집, 자녀, 남편, 나의 일… 어느 것 하나 감사하지 않을 수 없다. 나는 말씀을 읽고 고요해지면 나를 향한 빛과 울림으로 나아간다. 어렸을 적 말더듬증으로 외로움 속에 찾았던 하나님은 나를 사랑하시고 인도하셨다. 그리고 그분의 섭리를 믿는다. 하나님 보시기에 가장 나다운 모습으로 창조하셨기에 말씀을 품고 감사로 피어난다. 나를 향하신 하나님의 뜻을 알아가며 오늘도 사랑과 진리, 생명의 빛을 느끼며 한 걸음씩 나아간다.

06

상상 그 이상이었던
코타에서의 캠핑

꿈꾸는섬 (말레이시아/페낭)

적도 근처의 다문화 국가인 말레이시아로 남편의 근무지가 옮겨졌지만, 어린 두 아이와 낯선 곳으로의 이동, 교사로서 커리어를 내려놓기란 쉽지 않았다. 그렇게 독박육아를 하며 워킹맘으로서 내 인생에서 참 혹독했던 시기를 보내다가, 가족의 결속과 아이들의 교육을 위해 이곳에 온 지 어느덧 5년. 낯선 문화에 적응하느라 우여곡절도 많았지만, 온전히 엄마이자 아내로서 가정을 돌볼 수 있었던 의미 있는 시간이었고, 나는 이제 또 다른 도약을 꿈꾸고 있다.

최근 아이들 방학에 참가했던 코타키나발루에서의 캠핑 이야기다. 아이들과 좀 더 특별한 경험을 위해 휴양지가 아닌 전국 규모의 야영캠프(캠포리)에 참가하기로 한 것이다. 아이들은 텐트를 치고 캠핑할 생각에 기대에 차 있었고, 나도 더운 나라에서의 첫 캠핑이라 걱정되긴 했지만, 4박 5일이고 전 일정 식사가 제공되므로 도전해 보기로 했다.

캠핑장은 공항에서 차로 2시간 30분 거리의 잘 알려지지 않은 시골의 한적한 바닷가에 위치했다. 도착했을 때, 폭우가 쏟아지고 있는 야영지 상황은 내 눈엔 매우 열악해 보였다. 한국처럼 사이트마다 데크가 깔린 캠핑장이 아닌, 그냥 맨땅!! 빗속에서 텐트를 치는 사람들과 물길을 내는 사람들의 모습이 분주했다. 우리는 폭우 속에 짐을 나른 후, 결국 텐트를 포기하고 실내 숙소에 머물게 되었다. 숙소는 남녀가 분리되어 있어 우리 가족은 떨어져 자야만 했고, 배정받은 여자 숙소는 방마다 2층도 아닌 무려 3층 침대가 3개씩 놓인 매우 협소한 공간이었다.

1,350여 명의 많은 사람들이 참가했는데, 우리는 참가자 중 몇 안 되는 외국인, 유일한 코리언이었다. 참가자의 대부분이 코타키나발루가 위치한 동말레이시아 사람들이었는데, 서말레이시아와 달리 영어에 능숙하지 못했다. 그래서 대부분의 프로그램이 말레이어로 진행되어 우리는 소통에 어려움을 겪어야 했다. 내가 있는 서말레이시아 반도에서는 영어가 잘 통용되고, 많은 사람이 2중 심지어 3중 언어를 자

유롭게 구사하기에 당연히 영어로 진행된다고 생각하여 미처 확인하지 못한 부분이었다. 그래도 활동 부스 중에 거의 유일하게 CPR(심폐소생술) 부스가 영어로 진행되어 모처럼 사이다를 마신 기분을 느껴도 보았다.

공동 샤워장 줄은 항상 길었고 특이하게 모두 양동이와 바가지를 들고 줄을 서 있는 것이다. 그 이유를 샤워장 안에 들어간 후 알게 되는데, 샤워장 내부는 칸막이 없이 오픈 구조로 샤워기는 단 두 대뿐이고 나머지는 모두 수도꼭지 형태였다. 말레이시아 여인들은 '사롱 sarong'이라는 넓은 천으로 몸을 감싸고 씻는 문화를 가지고 있었고, 나는 다 벗고 씻는 유일한 사람이었다. 여인들은 몸을 가린 채 양동이에 물을 받아 퍼서 뿌리며 씻고 있었다. 씻기 매우 불편해 보였고, 오래 걸릴 수밖에 없겠구나.

캠프 둘째 날 오후, 샤워장에 갔는데 웬일로 줄이 없었다! 기쁨도 잠시, 전기 고장으로 물탱크에서 물 한 방울 공급 못 하고 있는 샤워장… 해가 지고 나서야 복구가 되긴 했지만, 이후로도 단전, 단수가 반복되었고, 단전이 되면 통신도 불통이지만 더 큰 문제는 에어컨도 없는 곳에서 선풍기마저 안 돌아가 더위를 해결하는 데 어려움을 겪었다. 결국 우리 가족은 하루에 한두 번씩 단수될 때마다 물이 나오는 식당까지 걸어가 페트병에 물을 길어와 약식 샤워를 하며 더위를 식혀야 했다. (1.5리터 두 병으로 샤워할 수 있다? 있다!) 언제 단수될지 모르니

물만 나오면 언제든 씻고 보자!는 자세로 목에 농부처럼 늘 수건을 두르고 다녔던 나. 지금 생각해도 웃음이 난다.

일정 내내 에어컨도 없이 무더위와 싸워야 했지만, (특히 씻는 것이 먹는 것보다 더 중요한 내겐 참 힘든 환경이었지만), 해 질 녘이면 내 인생 최고의 일몰과 까만 밤하늘의 쏟아질 듯 수많은 별을 매일 선물로 받았던 시간. 순수한 보르네오섬 사람들의 문화와 따뜻한 모습도 내겐 감동이었다. (첫날의 폭우는 내겐 불안의 요소였는데, 그들은 그 비가 가뭄을 해갈해 줄 단비라며 춤을 추었단다.)

또한, 내 생활에서 바로 시작된 변화가 있다. 페트병 두 병으로 며칠 동안 보틀 샤워를 해본 이후, 나는 샤워하는 내내 물을 틀어놓던 습관을 버리고, 이제는 비눗기를 씻어낼 때만 물을 틀어 사용한다. 무더운 날씨 속에서도 원하면 언제든 샤워기에서 물이 쏟아져 나올 때마다 그 소중함을 느끼며 매번 감사하게 된다.

참, 캠프 후 현지인 친구들에게 후기를 들려주며 너희들도 모두 여행 갈 때 '사롱'을 갖고 다니냐고 물어봤더니, 여행 필수품이라 한다. 샤워할 때나, 옷 갈아입을 때도 유용하게 사용한다며, 집에 색깔별로 있다고. 난 필수품도 안 챙겨간 인간이었던 것이다.(조만간 구입 예정.)

곧 다시 사바주를 여행하고 싶다. 코타키나발루나 다이빙 성지 시파단도 좋겠지만, 산다칸 Sandakan에 가서 '세필록 Sepilok 오랑우탄 보호구역'을 방문하고 'Proboscis 원숭이'의 모습을 실제로 볼 것이다. 좋은 호텔이 없는 구도시지만, 이제 웬만한 숙소는 너그럽게~ 이해할 수 있을 것 같다. 그리고 우리 가족은 이번 주말 또 다른 야영 캠핑을 앞두고 있다.

07

불편함이
때로는 편안함을 준다.

나베짱 (일본/사이타마현)

일본 생활 19년째. 지금은 영어학원에서 Bilingual teacher로 일하며 육아 중이
다. 대학 때부터 나에게 어학연수는 꿈이었다. 내 나이 29세 더 이상 미룰 수는 없
었다. 조금 모아둔 돈으로 휴직을 하고 꿈에 그리던 뉴질랜드 어학연수를 떠났다.
그곳에서 지금의 남편을 만났고 각자 귀국 후 1년간 한국과 일본 간 원거리 연애
를 하던 중 나는 다니던 직장을 그만두고 돌아갈 기약 없이 일본으로 건너오게 된
다. 그리고 그대로 일본에 정착했다. 현재 성실한 남편과 두 아들, 이렇게 네 식구
가 사이타마현에서 행복하게 살고 있다.

2005년 다니던 직장을 그만두고 히라가나도 모른 채 지금의 남편만 믿고 무작정 여행 가방 하나 들고 일본으로 건너왔다. 도착 후 남편은 나를 위해 여기저기 데리고 가주었고, 이곳저곳 다니면서 전에는 전혀 관심 밖이었던 일본이라는 나라가 참 매력적인 곳이라는 생각을 하게 됐다. 특히 눈에 띄는 것이 있었는데 그건 '자전거'였다. 어딜 가도 자전거가 세워져 있고 자동차보다 자전거로 이동하는 사람들이 훨씬 많게 느껴졌다. 7, 80 노인분들도 대부분 자전거를 타고 다니셨다.

그중 놀라웠던 건 많은 엄마들이 소위 '마마차리'라고 불리는 자전거에 앞뒤로 아이들을 태우고 다니는 장면이었다. 심지어 아기띠로 갓난아이를 안고 앞에 한 명 뒤에 한 명 이렇게 한 자전거에 총 네 명이 타고 가는 걸 보았을 땐 내 눈을 의심했었다. 보통 일본 사람들은 비가 오는 날도 한 손으로 우산을 들고 자전거를 타고, 엄마들은 우비를 입고 아이들을 태워 유치원에 데려다준다. 처음엔 너무 위험하지 않나? 그냥 차로 가면 될 걸 왜 저렇게 고생을 하나? '참 불편하게 산다' 라고 생각했었다. 그런데 이곳에선 당연한 일상이었고, 그럴만한 이유가 있었다.

우선 한국처럼 버스가 많지 않고, 대부분 전철로 이동을 하므로 사람들은 역까지 자전거로 가서 역 앞에 세워놓고 전철을 탄다. 그리고 주차위반이 굉장히 엄격해 도로변에 주차하는 일이 거의 없다. 심지어 내 차를 주차할 곳이 없으면 차를 구입하지 못한다. 심지어 내 차를 주차할 곳이 없으면 차를 구입하지 못한다. 집에 주차장이 없으면 사설 주차장이라도 계약을 해야 차를 살 수 있다. 그래서 자연스레 자전거를 많이 탈 수밖에 없는 환경이 만들어진 것 같다. 덕분에 한국 같은 주차난과 도로정체를 보기 힘든 것도 사실이다.

당시 차가 없던 나도 바로 자전거를 구입했지만, 어릴 적 타본 게 전부였기에 처음부터 타는 연습을 해야 했다. 한동안은 어찌나 무서웠던지 손에 땀이 나고 앞에 사람이라도 오면 얼른 내려서 자전거를 끌고 가기에 바빴다. 시간이 지나면서 능숙해지기 시작했고 나에게도 자전거는 없으면 안 될 필수품이 되었다. 어느덧 아이들이 생기고 나 또한 앞뒤로 아이들을 태우고 다니고 장을 보는 여느 일본인과 다름없는 생활을 하고 있다. 일본에서는 정말이지 1인 1대 자전거를 소유하고 있다고 해도 과언이 아닐 정도로 흔한 이동 수단이다. 우리 집만 해도 5대나 소유 중이다.

처음 유치원 참관수업을 갔을 때다. 운동장에 들어서니 수백 대의 자전거가 주차된 광경이 펼쳐지는데 정말 입이 떡 벌어졌다. 모든 엄마들이 다 자전거로 왔단 말인가? 빼곡히 정렬된 수많은 자전거는 정말 신기했다. 요즘 한국도 자전거를 타는 사람들이 많이 늘었다 하지만 정작 가보면 아이들 몇몇이 타거나 취미로 값비싼 라이딩용 자전거를 타는 사람들 정도이지 노인 분들이나 아이들을 태우고 다니는 엄마들을 본 적이 없다.

오랜 세월 자전거를 이용해 보니 참 좋은 점이 많은 것 같다. 자연스레 운동도 되고, 주차도 편하고, 좁은 길로도 이동할 수 있고, 차 막힘도 없고, 배기 가스가 없어 공기오염도 줄일 수 있으니 얼마나 좋은가? 일본에 오기 전까지 자동차 생활에 익숙했던 나에게 자전거는 불편하고 번거롭게 느껴졌었다. 일본인들은 사서 고생한다,라고 생각했던 내가 지금은 기꺼이 불편함을 즐기고 있다. 이젠 나에게 편안함을 주기 때문이다. 오히려 가끔 한국에 가면 너무 스트레스를 받는다. 여기 저기 주차된 차들 때문에 길을 갈 때도 방해되고, 차가 없으면 어디 가기도 힘든데 친정 부모님은 나이가 있으셔서 더 이상 운전을 하지 않으신다. 그래서 가까운 거리라도 버스나 택시를 타야 하는데 아이들을 데리고 매번 대중교통을 이용하려면 보통 고생이 아니니 말이다. 그럴 때마다 '자전거가 있으면 참 좋겠다.'라는 생각을 하곤 한다.

긴 일본 생활을 하는 동안 내 두 발이 되어준 자전거 덕분에 차가 있어도 운전할 일이 그리 많지 않았다. 비 오는 날이야 어쩔 수 없지만 웬만한 거리는 걷거나 자전거를 이용한다. 날씨가 좋은 날은 드라이브 대신 가족 모두 자전거로 동네 한 바퀴 도는 게 일상이 되었다. 운동도 되고 도로 정체 스트레스도 없으니, 이거야말로 일석이조 아닌가? 이런 여유로움을 즐길 수 있음에 감사한다. 가끔은 백발노인이 되어 자전거로 동네를 누비는 나를 상상 해본다.

08

나의 미래는
매일 매일 업그레이드

나얌 로렌 (미국/뉴저지)

중학교 3학년 때 경험한 미국 대학에서의 어학연수는 멋진 미래를 꿈꾸기 충분했고 그 계기로 고등학교 때 미국 유학을 오게 된다. 팬데믹 전까지 뉴욕 맨해튼에 있는 다양한 5성급 호텔에서 호텔종사자로 12년을 근무하였다. 현재는 온라인 여행사에서 일을 하며 뉴저지에서 남편과 두 아이를 키우며 살고 있다. 일을 하면서 자연스레 여러 가지 능력들을 습득하게 되다 보니 Can do 마인드가 강한 사람으로 성장을 해온 것 같다. 항상 할 수 있다는 맘, 나의 장래는 밝을 거라는 맘이 나에게는 강하게 자리 잡혀있다. 어떻게 그런 맘이 드는지에 대한 이야기는 본문에서 계속해 볼까 한다.

이 이야기는 내가 The Plaza Hotel에 면접하러 가서 겪은 일이다.

IMF로 집안 사정이 안 좋아진 후부터는 부모님을 도우려고 여기저기서 많은 아르바이트를 하게 되었다. 처음에 유학 왔을 때처럼 패기 넘치게 으쌰으쌰 하며 산 것이 아니라 어쩔 수 없이 열심히 살 수밖에 없는 상황에서 살게 된 것 같다. 대학교도 아르바이트로 학비를 벌어 졸업했다. 졸업 후 32가에 있는 호텔에서 다시 Chelsea 쪽에 있는 부티크 호텔에서 일을 했다.

어느 날 눈에 띄는 구직 광고가 나와 resume 와 서류들을 보냈다. 연락이 와서 인터뷰를 잡았는데 시간은 일을 마친 6시쯤이었다. 보통 회사들은 낮에 면접을 보지만 바쁜 호텔들은 저녁에도 면접을 종종 보기도 한다. 플라자호텔이라 해서 몇 주 전 친구와 호텔 바에서 칵테일을 마셨던 타임스퀘어에 있는 크라운 플라자인 줄 알고 있었는데 막상 주소를 받아보니 생각도 못 했던 59가 5th Ave에 있는 The Plaza Hotel이란다. N 라인 train을 타고 59가에서 내려 출구로 나가기 전 계단 중간에 은색 문이 보이는데 이곳이 직원들이 드나드는 employee entrance이다. 땅값이 비싼 맨해튼의 호텔 부서들은 보통 지하에 자리하고 있다.

들어가서 바로 security 아저씨들의 검문을 받은 후 인사과로 안내를 받았다. 인사과에 들어가 코디네이터와 인사 후 앉아 면접관을 기다리고 있노라니 나 홀로 집을 찍었던 그 유명한 뉴욕을 상징하는 호텔이란 생각에 "면접 안 되면 말지 모~" 하며 가볍게 왔던 맘은 온데간 데없고 갑자기 가슴이 두근두근 떨리기 시작했다. 앉아 있던 맞은편 벽에 호텔만큼이나 화려하고 한 벽면을 꼭 채울 만큼 큰 금색 프레임 액자가 눈에 들어와 "와~멋있다"라고 생각했다.

그리고 그 액자 안에는 떨리는 마음을 가다듬게 하는 글귀가 이렇게 적혀 있었다. "If god brings you to it, he'll bring you through it- Romans 8:28" 그때 속으로 이곳에 오게 해주신 분이 주님이시라면 일하게 될 거로 생각하며 잠시 눈을 감고 기도를 드렸었다.

그렇게 떨린 마음을 진정시키고 면접도 다행히 잘 보아 6년이란 시간 을 일하게 되었다. 신기했던 건 그때 인사과에서 추가 서류를 요청해 다시 가게 되었다. 코디네이터와 반갑게 인사하는데, 벽에 봤던 그 멋 진 액자는 온데간데없었고 작은 종이 하나가 있는 걸 보곤 "OOO, where is the luxury golden frame that was hanged on the wall? She said, um···. we never hanged any golden frame. Do you mean the paper I put on?" 다시 보니 내가 읽었던 글귀는 A4 용지에 프린트되 어 벽 중간에 붙어있지 않겠는가? 왜 그 글귀가 그렇게 크고 멋진 액 자 모습으로 보였는진 몰라도 나에겐 적시에 필요한 글귀가 되었었 고 살면서도 힘이 많이 되는 말씀이 되었다!

내가 원해서 살게 된 미국에서의 삶은 여러 가지 일들을 겪어오면서 쉽지 않았지만, 이 말씀이 나의 원동력이 되어서 열심히 살고 있다. 타향에 살며 이, 책으로 모이게 된 많은 분과 시간을 내주어 이 글을 읽어준 당신에게 감사하며 멋진 삶을 응원하고 싶다.

09

여기도 사람 사는 곳이다.

달래 (인도/첸나이)

대학원 시절, 너무나 힘들었던 그때. 살고자 하는 마음으로 도망치듯 왔던 곳이 바로 이곳, 인도였다. 여자 혼자는 위험하단 말을 들었지만, 명상센터 근처에서만 지낼 예정이라 용기를 낸 인도에 왔었다. 그 당시 내 남자 친구였던 신랑도 비록 다른 지역이긴 했으나, 출장으로 인도에 머물고 있어 혼자였지만 혼자 같지 않은 느낌으로 명상 수련을 했었다. 그렇게 연을 맺은 인도에 주재원 발령받은 신랑을 따라 본격적으로 살게 된 지 이제 1년이 되어간다. 한국무용을 한 나는 해외와의 거리가 멀다고 생각했는데, 이곳에서 육아와 요가를 하며 지내는 것이 어쩌면 축복이라는 생각이 드는 요즘이다.

2023년 8월, 8개월이 채 되지 않은 아기와 함께 신랑을 따라 인도에 왔다. 그즈음 한국에서는 기안84의 인도 여행기가 방송되기 시작했는데 그때 지인들에게서는 걱정 가득한 안부부터 생각보다 인도가 괜찮아 보인다며, 놀러 가보고 싶다는 연락도 왔었다. 그리고 그보다 훨씬 전, 신랑이 인도 주재원으로 막 발령받았을 때 지인들은 "인도에서 애를 어떻게 키워?", "병원은 어때?", "맨날 카레만 먹는 거 아니야?", "왜 하필 낙후된 인도야?", "인도 위험하다던데, 큰일이다." 등 안전과 위생, 치안에 대한 걱정 섞인 이야기들뿐이었고, 나 또한 걱정만 잔뜩 했다. 이런 나의 불안과 걱정을 신랑에게 털어놓으면 신랑은 항상 하는 말이 있었다.

"여기도 다 사람 사는 곳이다."

그런데도 한국에서 우물 안 개구리로 살던 나는 위생이나 치안, 먹을거리 등 생활 환경이 너무나 궁금해 출산 전 직접 경험해보고 싶은 마음에 대교 여행 겸 인도에 왔다. 그렇게 오게 되었던 첫날부터 나의 인도 경험기가 시작되었다.

신랑도 나도 인도 사람들의 위생 수준을 믿지 말라며 첫날은 호텔로 가라던 회사 동료분의 말을 듣지 않았다. 나는 약간의 불안감은 있었으나 신신당부 해놨다고 믿어보라던 신랑의 말을 믿고 우리가 살 집으로 향했다. 하지만 집 문을 열고 불을 켜는 순간 내 눈 앞에 펼쳐진 건 시력이 안 좋은 나에게도 뻔히 보이는 바닥의 모래 알갱이들과 가구 위 그대로 쌓여있는 먼지 더미들이었다. 그리고 내 옆에는 본인만 믿으라고 했는데 상황이 이렇게 되어버린 것에 대한 미안함과 그들을 믿었던 것에 대한 후회 때문인지 매우 당황스러워하는 신랑이 있었다.

그렇게 우리는 인도에 온 그날, 캐리어에 바리바리 싸 왔던 청소도구들을 부랴부랴 꺼내 청소기로 밀고, 닦기를 반복했다. 우리의 파란만장한 첫날 밤은 이렇게 지나갔다. 그리고 다음 날, 신랑은 담당자에게 이게 입주 청소가 맞냐며, 다시 청소해달라고 화를 냈고, 담당자는 인도인 특유의 고갯짓을 옆으로 까딱까딱 흔들며 "노 프로 브롬, 노 프로 브롬, 썰."을 외쳤다. 그 후 청소해 주시는 분들이 약속한 시각을 훨씬 넘어 걸레와 물통 등 장비를 들고 우리 집에 왔다. 일하는 모습을 지켜보니, 집이 왜 여전히 이 모양인지 이해가 되었다. 바닥은 빗자루로 대충 쓸고, 거기에 나름의 세제를 푼 물에 걸레를 빨아 물걸레질하는데 이미 구정물인 그 물에 빨아서 닦고 또 닦고를 반복하는 모습을 보며 이걸 그냥 지켜만 보고 있어야 하는 건지 아닌지 그 잠깐 사이에 많이 고민했다. 냉장고, 세탁기, 책장, 창틀 등 분명 땀을 뻘뻘 흘리며 청소하고 있는데 왜 먼지는 그대로 있는 걸까. 참 의문이었다. 그런 나의 표정을 읽었는지 "마담, 디스이즈 슈퍼 딥클리닝"이라며 자신 있게 외치던 그들에게 뭐라 더 할 말이 없어 "땡큐, 땡큐."를 외치며 돌려보냈다.

이렇게 인도에 도착한 날 마주한 이들의 위생 수준은 정말 바닥이었다. 이러한 위생 수준은 보통의 식당 화장실에서도 마찬가지였다. 그래서 나는 외출할 때 화장실이 깨끗한지부터 확인하는 습관이 생겼고, 최대한 밖에서는 가지 않는 것으로 마음을 먹었다. 이 외에도 마트에서 내 눈앞에 바퀴벌레가 있는데, 사람들은 그걸 아무렇지 않아 할 때에도, 밖에서 맨발로 걸어 다니는 것이 자연스러운 사람들을 봤을 때 그리고 씻지 않은 그 발로 집 안을 돌아다니는 걸 봤을 때도 나는 매번 충격적이었다. 물론 내가 만난 사람들과 상황이 인도의 전체는 아니다.

나중에 알게 되었다. 우리가 흔히 말하는 중산층이 아닌 일반 서민들의 집은 우리나라 옛날 6~70년대의 상태라 대리석이 깔린 집은 그 자체로 깨끗하게 보인다는 것이었다. 그리고 인도 사람들이 자신의 오른손으로 밥을 먹는 이유는 누가 썼는지 모르는 식기 대신 자신의 오른손이 더 깨끗하다고 믿기 때문이라고 한다. 또 내 상식으로는 이해가 안 되는 부분이기도 하지만 대부분의 화장실에 비데 호스가 있는 것도 이들에게는 이것이 청결을 위한 것으로 생각하기 때문이 아닐까 싶다. 그리고 지금은 이런 생각이 든다. '우리나라 사람들이 유독 청결과 깔끔을 외치는 것은 아닐까?', '실내의 생물(바퀴벌레, 개미, 거미, 도마뱀 등)은 다 없애야 직성이 풀리는 한국인들은 인간만이 모든 생물의 위라고 생각하는 건 아닐까?', '어느 것이 맞는 것이라는 잣대를 들이대며 그것 외에는 다 틀렸다고 여기는 것은 아닐까?'.

52

맞다. 이곳도 사람 사는 곳이다. 욕심과 마음, 기준을 조금만 내려놓으면 살만한 이곳. 그 어느 나라보다 사람 좋아하고, 아기 이뻐하고, 모르는 사이에도 친근하게 말도 잘 걸고, 이웃에게 인사를 건네고 안부도 묻는 친절한 사람들이 많은(사기꾼도 많지만) 이곳에 사는 것은 나에게 열린 마음과 함께 내려놓음을 수련하게 하는, 자연과 더불어 살게 하는 멋진 곳임이 틀림없다.

10

편견을 깨고 나답게 성장한다.

달씨mkyu (미국/하와이)

16살에 가족과 함께 미국 LA로 이민 온 나는 새로운 환경에서 여러 번 충격과 변화를 경험했다. 그 후 23년간 미 육군 아내로 독일, 워싱턴, 캘리포니아, 버지니아, 뉴욕 등 여러 지역을 옮겨 다니며 많은 문화를 접하고 배웠고, 남편의 복무지에 따라 여러 번 항공학, 간호학, 컴퓨터, 유아교육 등 전공을 바꿔가며 쉬엄쉬엄 대학에 다니다 36세에 졸업했다. 마지막 복무지인 하와이에서 은퇴한 남편과 두 딸과 함께 와이키키가 있는 하와이 오아후섬에 9년째 살고 있다.

한국 중학교 3학년까지 다니다가 미국 고등학교 1학년에 편입하면서 처음으로 접한 미국 고등학교의 문화는 내가 이전에 알던 것과는 완전히 달랐다.

체육 시간 수영 시험 중에 임신한 학생이 "우린 임신해서 수영 시험 안 봐도 돼."라고 말하며 미소 짓는 모습을 보고 놀랐다. 그녀는 남자 친구가 교도소에서 곧 출소할 것이라며 밝게 이야기했지만, 이를 아무렇지 않게 받아들이는 친구들을 보며 나는 큰 충격을 받았다. 한국에서는 상상도 할 수 없는 일이었다. 또 다른 충격적인 사건은 교실에 들어가려던 순간 발생했다. 한 남학생이 입구에 서서 여자 친구와 키스하고 있었고, 다른 학생들은 이를 무심하게 지나치며 교실로 들어갔다. 나는 당황해서 용기를 내지 못하고 결국 지각을 했다. 그때 나는 이 학교에 법도 규칙도 없는 것처럼 느꼈다.

한국에서의 학교생활은 성적과 남의 시선을 신경 쓰느라 늘 긴장감 속에서 이루어졌다. 그러나 미국에서는 학생들이 자신만의 방식으로 자유롭게 행동했다. 옷차림부터 행동까지 누구도 눈치를 보지 않았다. 성적순으로 줄 세우던 한국과 달리, 미국 학교에서는 학생들이 자신의 개성을 마음껏 표현하며 자유롭게 생활했다. 수학 시간도 놀라웠다. 한국에서는 하위권 성적이었던 내가 미국에서는 상위권에 속했다. 미국 학교에서는 수학 문제의 답보다 과정을 중요하게 평가해 과정에 50%의 점수를 주었다. 이는 내가 수학을 훨씬 너 편하게 느끼게 해주었다.

처음에는 미국 학교가 무질서하다고 생각했지만, 점차 이곳의 자유롭고 실질적인 교육 방식이 얼마나 중요한지 깨닫게 되었다. 한국의 교육 시스템이 얼마나 경직되어 있는지를 새삼 느끼게 되었고, 행복은 성적순이 아니라는 것을 알게 되었다. 모든 사람은 각자의 특별한 재능을 가지고 있으며, 이를 발견하고 발전시키는 것이 진정한 교육의 목적임을 깨달았다.

미국 학교에서는 다양한 실생활 기술을 배울 수 있었다. 깊은 수영장에서 5분 이상 물에 떠서 구조대를 기다리는 법, CPR과 응급처치, 타이어 교체와 오일 교환, 운전면허 취득 등 실제로 생활에 유용한 기술들을 익혔다. 또한 장애인 돌봄, 재봉, 벨 연주, 오케스트라, 밴드 활동 등을 통해 많은 경험을 쌓았다. 교과서, 첼로, 바이올린 포함해 모든 악기와 컴퓨터 등 학기 내내 무상 지원이고 학기가 마칠 때 돌려주면 되었다. 하고 싶은 것은 뭐든 할 수 있게 도와주었다. 학교에서 특히, 벨 연주와 밴드 활동을 통해 라스베이거스 대학에서 공연을 다닌 것은 잊을 수 없는 즐거운 추억이었다.

외모에 대한 자신감도 크게 달라졌다. 한국에서는 못생겼다고 생각했던 내가 미국에서는 매력적인 학생으로 여겨졌다. 이는 내 자존감을 크게 높여주었다. 예전에는 마음속에 불안과 두려움이 가득해도 말하지 못했던 내가 이제는 당당히 내 의견을 표현할 수 있게 되었다. 환경이 얼마나 중요한지, 나를 지지하고 격려해 주는 사람들 속에서 성장할 수 있다는 것을 절실히 느꼈다.

미국에서 대학을 갈 때도 한국과는 다른 점이 많았다. 한국은 입학이 어렵고 졸업이 비교적 쉽지만, 미국은 입학은 쉬워도 졸업이 어려웠다. 또한, 대학 입학에 정해진 나이도 없고, 졸업 기간도 자유롭다. 나는 70, 80세 할머니들이 대학에 들어가는 것도 보았고, 나 또한 늦은 나이에 대학을 졸업했다. 한국에서 문제아로 여겨졌던 학생들이 이곳에서는 사업가나 성공한 유튜버로 당당히 성장하는 모습을 보았다.

좋은 친구와 사랑스러운 가족이 있다면, 내 삶은 성공한 것으로 생각하게 되었다. 자신을 믿고 당당해지며, 용기를 내서 함께할 친구들과 삶을 채워나가는 것이 무엇보다 중요하다. 세상은 넓고, 나와 마음이 맞는 사람은 많다. 우리의 삶은 진정한 행복과 자신감을 찾는 여정이어야 한다. 우리 다 함께 원하는 것을 찾고 조금씩 이루어 갔으면 좋겠다.

11

The little 大韓民国大使

루씨 (일본/도쿄)

2006년 4월 일본으로 거점을 옮긴 박종연(Lucy). 내 직업은 UX/UI 디자이너이다. 일본 웹호스팅 회사에서 일을 하며 마케팅 업무까지 넓혀가고 있다. 한국에선 우리가 흔히 알고 있는 웹디자이너로 사회생활을 시작했다. 끝없는 야근…. 그런 삶에 지쳐버린 난 언젠간 외국에서 일을 해보고 싶다는 막연한 꿈이 있었다. 그래서 2005년 계획을 실행하기 위해 움직였다. 1년 뒤, 나는 고등학교 때부터 관심이 있었던 일본에 오게 된다. 그것이 내 외국살이의 시작이었다.

무더운 어느 여름날. 더위에 지친 나는 방바닥에 철퍼덕 주저앉아 주변을 더듬거리며 TV 리모컨을 찾는다. 무의식에 가까운 움직임들…. 일본의 더위는 한국과 비슷하지만, 습도는 더 높아 기력을 빼앗아 간다.

뭔가 엄숙한 장면들이 내 눈에 들어온다. 오바마 전 대통령이 히로시마 평화 기념 공원에서 헌화했다. 모두가 짐작하듯 히로시마 원폭 투하에 희생된 이들의 추모하는 날이었다. 자업자득, 인과응보라는 말을 먼저 떠올린 건 내가 너무 이기적인 사람이라 그럴까? 인간으로서가 아닌 한국인으로서의 감정이 앞선다. 나는 복잡한 감정에 휩싸인다. 그런 생각도 잠시 나는 이런 생각을 해본다. 그들은 전쟁을 원했을까? 그들 역시 아무도 전쟁을 원하지 않았을 텐데. 누가 자기 남편과 아들을 전쟁터 총알받이로 보내고 싶겠나…. 그냥 그들도 평범한 사람들이었을 텐데. 이러한 상황을 만들어 버린 일본 정부에 대한 적개심과 이 상황을 살아야 하는 원망이 더 클 것이다. 그들도 희생양인 것이다.

어쩌면 일본에 온 후, 히로시마에서 추모하는 광경을 처음 본 건 아니다. 난 매번 피했다. 일본을 이해하고 싶지도 동정하고 싶지도 않아서 내 눈과 귀를 막아버리고 외면했다. 하지만 우연히 한국인으로서가 아닌 한 인간으로서 그들의 처지를 생각해 보고 난 후…. 매년 7월이면 난 마음이 무겁고 먹먹하다. 가끔은 역사 속에서 투쟁하고 희생된 한국인에게 너무나 미안한 마음도 든다. 내가 한국을 식민지화했던 나라에서 희생된 사람을 애도해도 되는 걸까? 안 되는 거 아닌데 뭔가 죄책감이 드는 마음은 숨길 수는 없다. 한국인에게 아픈 역사를 준 일본. 나에겐 제2의 고향인 일본. 난 이 복잡한 애증의 관계에서 살아가고 있다. 굳이 깊이 생각하지도 않아도 될 일들을 되새기는 건 감정적으로 힘들 때가 있다.

내 무의식적인 언행이 누군가에게 상처를 주지 않을까? '한국인은 저렇더라'라는 고정관념을 심어 주지 않을까? 신경이 쓰인다. 그들에겐 인생에서 처음 만난 한국인이 나일지도 모르니까 말이다. 내 행동에 더 큰 책임을 부여해야겠다. 그래서 난 스스로 The Little 大韓民国 大使가 되기로 결심한다. 비록 한국에서 유행하는 것들은 잘 모르지만, 한국은 왜 이럴까? 한국의 민족성과 정서에 대해 많은 생각을 하고 객관적인 입장으로 보려고 노력한다.

일본 대지진 후, 회사 동료들과 술 한잔을 하는데 나에게 "왜 한국인은 데모를 격하게 해?"라는 질문을 받은 적이 있다. 한일 감정이 안 좋을 때 일본 대사관 앞에서 일장기에 불태우고 있는 장면이 많이 보도되었기 때문일 것이다. 위안부 문제인 걸로 기억된다. 지금도 그렇지만 그땐 내 지식이 너무 얕아 직접적인 설명이 힘들었다. 난 비유적으로 대답했다.

"2011년 3월 우린 일본 대지진을 경험했지. 정말 끔찍했고 너무나 슬펐어. 근데 넌 너의 가족을 잃었니? 우린 가족을 잃은 사람들을 보며 정말 가슴 아프겠다, 이해한다고 하지만 우린 몰라. 왜냐하면 우린 경험해 보지 못했잖아. 이 문제도 똑같다고 생각해. 가해자는 피해자의 아픔과 억울함을 모르지. 그래서 난 그들이 시끄럽게 데모해도 그 마음은 이해해."

나에게 물어본 동료가 공감했는지 모르지만, 그냥 난 덤덤하게 그렇게 대답했다. 서로 입장 차이를 인정하지 않고 그 상황을 모르기 때문에 이해하기 힘든 거다. 어쩌면 받아들일 준비가 안 된 걸지도 모르겠다. 내가 히로시마 추모를 외면한 것처럼 말이다. 다름을 받아들이는 것은 용기가 필요하다. 가끔은 민망한 사실 때문에 얼굴이 화끈거릴 수도 있다. 역으로 화가 날 수도 있다. 하지만 그 시간을 이겨내고 '아! 그렇게 생각할 수도 있구나'라고 받아들이면 내 시야는 넓어진다.

18년간의 한국이 아닌 다른 나라에서 사는 동안 많은 문화적 차이를 경험했다. 많은 외국인 사이에서 살아가니 난 그들이 한국에 대해 어떻게 생각할까? 궁금하지 않을 수 없다. 공식적인 임명은 아니지만 난 The Little 大韓民國大使로서 한국의 매력을 나누고자 오늘도 노력하고 있다.

12

___

마이애미에서 다시 찾은
한국의 소중함

마이애미 진 (미국/마이애미)

대학에서 아트를 전공하고. 유학하는 남편을 따라 미국에 와서 마이애미 산 지 24년 차. 한국과 마이애미를 사랑하고, 커피와 아트, 책 읽기를 좋아하며 여러 가지 일에 호기심이 많다. 한국어 교사, 아트 교사, 아트 페어 통역 등의 일을 했고 현재는 프리랜서로 카페 관련 마케팅과 홍보를 하며 개인 사업을 준비하고 있다.

여행이 일상이 되는 삶은 누구나 꿈꾸는 삶일 것이다. 나 또한 처음에는 그렇게 생각했던 것 같다. 좁은 땅, 꽉 막힌 도로, 경쟁적인 사회로부터 자유로운 삶. 모두가 해외에 살면 늘 행복할 것만 같다고 생각할 것이다. 하지만 실제 해외에서 산다는 것은 또 다른 일상이며, 날마다 새로운 도전의 연속이다.

대학교를 마치자마자 유학 가는 남편을 따라 미국에 왔다. 지금 생각하면 너무 어려서 아무것도 모르고 내 인생을 그냥 운명이 흐르는 대로 맡겼던 것 같다. 그렇게 태평양 바다를 건너 하늘과 바다가 아름다운 플로리다 마이애미에서 살아간 지 벌써 20년의 세월이 흘렀다.

24살의 어린 나는 지구 반대편에서 살아가기 위해 열심히 하루하루를 살아냈다. 엄마가 차려준 갓 지은 밥만 먹을 줄 알던 내가, 지금은 김치 서너 포기는 쉽게 담그고, 20~30명 초대 음식도 뚝딱 해낼 때면 나 자신도 너무 기특하다는 생각이 들 때도 있다. 그렇게 모든 걸 스스로 해야 하는 해외살이는 나를 더 어른으로 성장시켰다.

그러나 재미있게도 사는 곳은 미국이지만, 마음은 늘 한국 시각으로 오늘을 살아간다. 한국 스포츠 게임이 있는 날이면 새벽에도 일어나 열심히 한국을 응원하고, 한국 뉴스를 보며 드라마, 음악을 듣는다. 이곳에서 태어난 우리 아이들도 한국 학교에 다니며 한글도 배우고 문화도 배웠다. 우리 아이들이 이곳에서 애국가와 아리랑을 노래하던 순간은 정말 잊을 수 없는 기억이다. 오히려 해외에 사니, 나는 더욱 우리나라를 사랑하는 애국자가 되어 살아가게 되었다. 그런 마음들이 연결되어 남편과 함께 한인회 봉사를 하게 되었는데, 기억에 남는 것은 전라도청과 함께했던 교환학생 프로그램이었다. 2년 동안 30명 정도의 중학생들이 플로리다 공립학교에서 미국 학생들과 함께 수업받고 생활하며 잊을 수 없는 추억을 만들었다. 또 한복과 한글을 알리는 행사에서도 즐거워하던 사람들의 미소가 지금도 가끔 생각난다.

2020년 초, 코로나바이러스로 모든 것이 멈추어버렸다. 모든 것이 셧다운되어 모두가 어려운 시기를 보내게 되었을 때, 플로리다에 있는 한인들에게 무료로 마스크를 나누어 주는 봉사를 맡게 되었다. 그때 나는 마스크와 함께 한인 교포들을 응원하는 메시지를 써서 보내면 좋겠다는 아이디어를 냈다. 모두 힘든 시기를 지나고 있지만 우리가 한국인임을 잊지 말고 우리 민족 특유의 끈기와 성실함으로 다시 일어서기를 응원하는 글을 예쁜 종이에 복사해서 마스크 박스마다 정성스럽게 붙여 보냈다. 그 한 장의 짧은 편지는 많은 분에게 고향의 향수와 한국인의 따뜻한 정을 느끼게 했던 것 같다. 어디에 살던 우리는 한국인으로 연결되었다는 느낌을 받았다.

이제는 인터넷을 통해 언제든지 세계를 경험할 수 있는 21세기를 살고 있는 우리에게는 더 이상 어디에 사느냐가 문제가 되지 않는다. 더 중요한 것은 어떤 마음가짐으로 하루를 살아가는가에 있지 않을까. 환경을 뛰어넘어 감사함으로 하루하루를 살아간다면 더 행복하고 풍족한 삶을 살아갈 수 있을 것이다.

요즘, 멀리 떨어진 이곳에서도 한류 바람은 무섭게 불고 있다. 처음 BTS 노래를 라디오에서 들었을 때의 감격이 아직도 생생한데, 이제는 어디서나 한국 노래가 흘러나오고, 한국 드라마와 예능 이야기를 외국 친구들과 함께 나눈다.

이곳에 살다 보니 이제야 한국만이 가지고 있는 역사와 문화의 아름다움이 얼마나 소중한지 더욱 깨닫게 된다. 처마가 아름다운 한옥과 골목길의 정취, 한복의 멋스러운 선, 과학적인 한글, 재래시장의 북적임. 이 모든 것이 일상이기에 잊었던 그 소중함을 이제야 깨닫게 되었고, 내가 그런 역사를 가진 한국인임이 자랑스럽다.

그래서 이제는 내가 사는 이곳 플로리다에 나의 자랑스러운 나라 대한민국을 알리고 싶다. 한국에는 내 제2의 고향인 마이애미가 얼마나 멋진지 소개하고 싶다. 왜냐하면 나는 어디에 있던 한국을 늘 응원하는 뼛속까지 한국 사람이며, 동시에 이제는 나를 성장시켜 준 마이애미를 사랑하지 않을 수 없기 때문이다.

13

인생 3막의 무대는 말레이시아

말레이언니 (말레이시아/쿠알라룸푸르)
꿈 많은 피아니스트이자 가수였고, 결혼 후에는 두 아이를 키우며 의류, 잡화 도소매 수출입을 하며 워킹맘으로 살았다. 외환위기를 겪으며 살아남기 위한 도전과 우여곡절 끝에 정착한 말레이시아!!!
365일 무더운 쿠알라룸푸르 장터 노점상으로 시작해서 한식당 2지점의 주인이 되었다.
현재는 한식 문화를 알리는 홍보대사이자 김치 전문가로, 쓰레기 줍기 리더로, 세상엔 궁금하고 배울 게 너무 많아 행복하고 꿈 많은 꽃중년으로 지금도 폭풍 성장(?)^^중이다.

내 인생의 1막은 1967년 8월 26일 서울의 어느 산부인과에서 아주 쨍쨍한 울음소리로 시작, 그 울음 덕인지 종종 목소리가 좋다라든가 노래하는 음색이 좋다는 이야기를 많이 들었다. 그래서였을까? 내 인생 2막은 결혼하기 전까지 무명 가수였다. 피아니스트를 꿈꾸던 난 가정 형편상 졸업을 못 하고 재즈피아니스트 겸 가수로 살았다.

인생 2막은 운명의 장난 같은 결혼으로 시작됐고 정말 힘든 시간을 보냈다. 홍콩으로, 태국으로 다니며 의류, 액세서리 일명 보따리상을 했다.

남편의 책임감 없는 일 처리로 나의 사업이 되었고, 뉴질랜드 이민 역시 집안 사정으로 3개월 만에 다시 귀국, 해외살이 팔자인지 태국에 매장을 내고 운영했지만, 그 역시 운영 미숙으로 1년 만에 접고, 이런 저런 힘든 과정들을 겪으며 아이 둘을 안전하게 잘 키우기 위한 홀로서기를 꿈꾸게 되었다. 살아남아야 한다는 간절함과 오랜 기다림 끝 인생 3막 홀로서기는 2004년 11월 어느 날, 7살, 8살 아들과 딸 그리고 이민 가방 2개, 작은 냄비 하나와 컵 3개 숟가락 3개, 월세 얻을 약간의 보증금, 그야말로 빈털터리로 말레이시아 쿠알라룸푸르 공항에 도착했다. 무모한 도전을 감행할 수밖에 없는 사정도 있었고, 간절히 원하면 이루어질 거라는 간 큰 기대와 설렘과 두려움을 안고 선택한 땅. 아는 사람 전혀 없는 낯선 땅에 안전하게 아이들을 키울 수 있는 곳이리는 나만의 믿음으로 선택한 흙탕물(탁한 물이 합류하는 곳)이라는 뜻을 가진 말레이시아의 수도 쿠알라룸푸르.

21년이 흐른 지금, 뒤돌아볼 겨를없이 전쟁처럼 살아온 과거로 기억의 회로를 돌려보니, '나'라는 사람의 무모한 도전정신에 웃음이 지어진다.

먹고사는 일을 해결하기 위해 이민 가방 하나에는 한국에서 팔던 옷을 가져왔었다. 한국을 떠나기 전 동대문 시장에서 의료업을 했었기에, 가진 건 재고 옷 그리고 장사를 잘할 수 있을 것 같은(?) 나의 마음가짐. 막상 노점이라도 나가려니 언어의 문제와 아무나 나가서 할 수 없는 여러 걸림돌이 있었고, 한인이 운영하는 옷 가게를 찾아가 물건도 팔며 취업의 기회가 있었지만, 교통비도 안 되는 현지인의 급여로는 살아남을 수 없었다. 결국 집에서 소규모 게스트하우스를 시작했고, 음식이 맛있다는 손님들의 리뷰에 힘입어, 노점상과 게스트하우스, 가게 매니저 등을 하며 식당을 시작하게 됐다.

내 가게를 열기까지는 일 년 내내 30도를 웃도는 거리에서 장사를 하며 시원한 물 한 병 사 먹을 돈도 아끼고, 살짝 쉰 도시락을 까먹으면서 버티었고, 당장 다음 달 학비 걱정에 가슴을 졸이며 이를 악물고 살았다. 비가 자주 오는 우기엔 자리 비용만큼도 팔지 못하는 날, 속상한 맘을 접고 집으로 향하는 내내, 얼마나 눈물이 났던지…. 그럼에도 꼭 살아내야 한다는 간절함, 아이들을 지키기 위해서 뭐든 해야 한다는 굳은 의지가 있었다. 어느 날 열심히 사는 걸 지켜보던 분의 부탁으로 가게를 대리 운영을 해주면서 자리를 잡기 시작했고 다시 돌아갈 비행기 표도 없었던 나와 아이들은 현재 말레이시아 최고 맛집인 한국식당 주인장이 되었고, 아들과 딸은 가장인 엄마를 이해해 주고 속 한번 썩이지 않는, 착하게 순하게 사춘기를 지내고 성인이 되었다.

이젠 4막을 준비하려 한다. 먹고 살기 위한 치열한 전쟁 같은 사업이 아닌 좋은 영향력을 미치는 사람으로, 사회적 기업(비영리 재단) 아름다운 가게를 만들어 나눔의 영향력을 넓게 넓게 펼치는…. 혼자가 아닌 더불어 사는 아름다운 세상을 작게 시작하고 싶다.

내가 사는 이 땅에서….

14

멕시코에서 얻은 소중한 가치

메리다 (멕시코/몬테레이)

자연 속에서 걷거나 산책하는 것을 좋아하고, 새로운 것을 배우는데 큰 즐거움을 느낀다. 여행과 독서를 즐기며, 사회복지와 교육학을 전공했다. 환경재단에서 일한 경험도 있으며, 현재는 한 남자의 아내이자 세 딸의 엄마로 살아가고 있다. 2년 전, 남편의 해외 발령으로 멕시코 생활을 시작했다. 지금은 남편의 건강과 직장, 아이들의 교육과 미래, 그리고 저 자신을 위한 자기 계발과 자아실현을 위해 하루하루를 소중하게 보내고 있다.

해외살이의 시작

한국에서 50년 넘게 살다가 해외살이를 시작하는 것은 설렘보다는 두려움이 컸다. 우리가 갈 곳은 멕시코였고, 언어와 문화에 잘 적응할 수 있을지 걱정이 되었다. 남편이 6개월 먼저 가 있었고 우리는 캐리어 2개씩을 들고 멕시코 생활을 시작했다. 첫 번째로 부딪힌 것은 스페인어였다. 해외 생활을 시작하면 누구나 겪는 어려움이겠지만, 처음에는 말하려면 머리가 하얘지고 입이 떨어지지 않았다. 시간이 지나면서 외국인들이 친근하게 다가오고, 스페인어도 조금씩 들리며 눈치도 늘어갔다.

두 번째로는 학교 문화의 차이였다. 특히 학교 운전과 도시락 준비가 힘들었다. 한국에서는 아이들이 혼자 등하교하고 급식을 먹는데, 여기서는 아침 일찍 일어나 도시락을 준비하고 아이들을 학교에 데려다주고 데려와야 했다. 아침마다 일찍 일어나 도시락을 준비하는 일은 예상보다 더 많은 에너지가 필요했다. 이런 일상의 변화는 멕시코 생활에 적응하는 데 큰 도전이 되었다.

세 번째는 기다림의 문화였다. 한국에서는 행정 업무를 30분 정도면 해결할 수 있는데, 여기서는 1~2시간 기다리는 것이 당연한 일이었다. 서류나 메일을 보내면 1~2주 이상 기다려야 하고, A/S를 신청하면 약속한 날에도 연락 없이 안 오는 경우도 많았다. 요즘은 행정이나 병원, A/S의 기다림을 즐길 수 있는 여유가 생겼나. 조금씩 멕시코 생활에 스며들어 가고 있는 듯하다.

물과 전기의 소중함

멕시코 생활에 익숙해질 무렵 극심한 가뭄으로 물이 나오지 않았다. 22년 6월, 40도가 넘는 날씨로 처음엔 1~3일 동안 물이 나오지 않았다. 아침에 조금씩 나오던 물이 단수로 인해 1주일, 한 달 이상 끊기기도 했다. 물 부족으로, 생수로 샤워하고, 설거지를 하면서 물이 얼마나 소중한지 깨달았다. 샤워는 10리터로 가능할 줄 알았는데 실제로는 20~30리터가 필요했다. 아이를 학교에 보내고 생수를 구하기 위해 여러 마트를 돌아다니며 물을 사 왔던 기억이 생생하다.

어느 날은 갑작스럽게 2일 동안 전기가 나갔다. 단수로 샤워도 못하고 더운데 에어컨도 사용할 수 없고, 와이파이도 안 되어 집에 있을 수가 없었다. 물과 전기가 끊긴 상태에서 카페에서 시간을 보내며 앞으로 어떻게 살아가야 할지 막막했다. 하루에도 몇 번씩 한국에 가고 싶었다. 아이들 학교만 아니었다면 한국으로 돌아갔을 것이다. 여기에서 10년을 넘게 살아온 지인도 처음 겪는 일이라고 했다. 이 경험을 통해 물과 전기의 소중함을 알았고, 우리 가족 모두가 절약하는 계기가 되었다.

이웃의 따뜻함과 배려

어려움을 겪으면서 멕시코 사람들의 따뜻함과 친절에 큰 감동을 하였나. 불이 안 나올 때 물 차가 오면, 이웃들이 물을 받아주었고, 좋은 빨래방을 알려 주었다. 한 번은 관리 사무실 앞에서 자동차 타이어가 펑크 났을 때도 관리실 아저씨가 타이어를 직접 갈아주었다. 당황스럽고 어려울 때 함께 해준 이웃들 덕분에 더욱 친근하고 고마운 마음이 들었다. 한국에서는 당연한 것들이 해외에서는 당연하지 않았다. 이 당연함이 큰 감사로 다가왔다.

이제는 멕시코에서의 생활이 여유와 설렘으로 다가온다. 소소한 일상에 감사하며, 절제할 줄 알고, 웃으며 기다릴 줄 알며, 어떤 환경에서도 살아갈 수 있는 용기가 생겼다. 멕시코 음식에 매료되어 타코와 칠레킬레스, 과카몰레를 즐겨 먹고 있다. 스페인어를 꾸준히 공부하여 자유로운 중남미 여행을 꿈꾸고 있으며, 이곳의 느긋한 시간 속에서 삶의 소중한 것들을 배워가고 있다.

이러한 경험을 통해 깨달은 것은 당연하게 여겼던 것들이 절대 당연하지 않다는 사실이다. 물과 전기, 그리고 일상의 소소한 편안함 모두가 소중한 감사의 대상이 되었다. 멕시코에서의 생활은 나에게 큰 변화를 가져다주었고, 앞으로도 새로운 도전과 배움을 통해 더 많은 것들을 경험하고 싶다. 이 글을 읽는 사람들도 작은 것에 감사하며, 새로운 도전을 두려워하지 않기를 바란다.

15

진지후(金鸡湖)와
위드해리 친구들

메이링 (중국/쑤저우)

각국을 넘나들며 2D 애니메이터로 활동하다가, 2008년 북경 올림픽이 열리던 해에 중국으로 무대를 옮겼디. 지금은 쑤지우에서 NFT와 AI 아트 등 나냥한 매제를 통해 작품을 선보이며 제2의 삶을 살고 있다. 전반전의 삶이 애니메이션에 집중되었다면, 후반전은 다양한 예술을 아우르는 멀티 아티스트로서의 삶을 지향하고 있다.

쑤저우(苏州)의 진지후(金鸡湖) 호숫가의 어느 날, 햇살이 따스하게 비추고 바람은 살랑살랑 불어왔다. 호수의 물결이 태양 빛을 받아 신비로운 색깔을 만들어내며 춤추고 있었다. 약속 장소인 퓨전 레스토랑 '메이메이'에 조금 늦게 도착한 나는 긴 드레스의 끝자락을 살짝 쥐고 우아하게 걸어갔다. 호수의 아름다운 정경이 한눈에 들어오는 창가의 원형 테이블에는 멋을 낸 '위드' 친구들이 즐겁게 이야기를 나누고 있었다. 아름다운 향내가 진지후의 바람에 실려 기분 좋게 다가왔다. 서로 기분 좋게 칭찬하거나 손뼉을 치며 수다를 떨었다. 특히 각자 차려입은 드레스에 대한 이야기가 한창이었다. 오늘 모임의 콘셉트는 '멋지게, 야하게, 그러나 우아하게'였다. 산다라가 말했다.

"이 드레스 타오바오에서 200위안 주고 샀어." 엘리스가 웃으며 덧붙였다.
"나는 168위안, 한국 돈으로 3만 원 안쪽이야." 하하 호호~

타오바오는 없는 게 없고, 없는 것도 있는 중국의 온라인 마켓이다. 우리의 멋 내기 모임을 위한 의상도 이렇게 저렴하게 준비할 수 있음에 더욱 신이 났다.

해외 생활에서 사람을 사귀는 것은 쉽고도 어려운 일이다. 주재원들은 대개 3년에서 5년 단위로 이동하기 때문에 정이 들만 하면 이별해야 한다. 여기를 잡고 사는 사람들은 만남과 이별을 어지 차게 겪는다. 그래서 우리의 만남과 이별은 더욱 아쉽다. 오늘의 만남 역시 두 사람을 보내는 자리였다. 우리 모임은 해리포터 원서 읽기로 시작되었고, 자연스럽게 '위드해리'라는 모임명을 가지게 되었다. 매주 화요일 1시에 모여 점심을 함께 먹고, 두 시간 정도 해리포터 원서를 돌아가며 읽는다. 유라 님의 뛰어난 영어 실력 덕분에 낯선 발음이나 표현도 쉽게 이해할 수 있다.

점심은 주로 후판 광장에 있는 한국 음식점에서 준비해 온다. 한 두 달에 한 번 정도는 멋진 곳에서 기분을 내기도 하지만, 대개 시간 절약상 한곳에서 다 해결한다. 김밥, 잡채, 떡볶이 등 맛있는 한국 음식을 준비해 오면, 1시에 모여 식사하고 2시간 정도 함께 공부한다. 사담도 곁들이다 보면 네 시를 훌쩍 넘기기도 한다.

'위드'는 모두 6명이다. 늘씬한 키에 긴 머리를 가진 유라님, 캘리그라피로 전시도 하고 강의도 많이 하시는 체리님, 모르는 게 없는 박식한 큐리님, 활달하고 사교적인 산다라님, 두 아이의 엄마로 언제나 바쁘지만 항상 즐거운 엘리스님, 그리고 나 메이링. 그중 산다라님과 체리님이 한국으로 간다. 정성이 담긴 선물과 꽃다발을 주고받으며 우리는 다시 만남을 약속하며 보낸다.

여기는 중국 장쑤성 쑤저우의 진지후, 진지후의 해가 기울면서 구름을 띄우고 바람과 함께 물결치며 우리를 보듬어준다. 그 중심에 우리 해외살이 위드님들은 한국말과 중국말을 섞어가며 그리고 해리포터의 영어도 간혹 비벼대면서 물결 소리에 장단을 맞춘다.

쑤저우는 고대 중국에서 중요한 상업 중심지이자 문화적 중심지로 자리 잡아 왔다. 이 도시는 특히 아름다운 수로와 정원으로 유명하다. 쑤저우의 수로는 중국의 대운하 시스템의 중요한 부분을 이루며, 이 수로망은 쑤저우를 '동양의 베네치아'로 불리게 한다. 대표적인 정원으로는 '졸정원(拙政园)'이 있다. 아름다운 꽃들로 장식되어 관광객이 끊이지 않는다. 쑤저우에는 여러 개의 호수가 있다. 가장 유명한 태호(太湖)는 중국에서 세 번째로 큰 담수호로, 아름다운 경치로 유명하다. 또한 대게로 유명한 양등호(阳澄湖大闸蟹)도 있다. 이곳들은 모두 사람들이 즐겨 찾는 명소이다. 그러나 나는 리공티(李公堤)라는 아름다운 문화 지역을 품고 있는 진지후를 더 사랑한다. 인공섬인 리공티에는 각 나라의 음식점들이 아름답게 자리하고 있고, 전시장이나 미술관이 여러 개 있어 언제나 전시를 관람할 수 있다. 가끔 기분이 가라앉을 때 차를 몰고 진지후 호숫가로 나가 리공티의 곳곳을 돌아다니기도 한다.

처음 이곳에 왔을 때, 대도시 에서만 생활해 온 나는 이곳의 조용하고 안정된 평화로움이 오히려 다른 종류의 불안함으로 다가왔다. 항상 긴장 속에서 뭔가를 해야만 했던 내게, 이 고요함은 외로움으로 느껴졌다. 그런 오랜 직업병을 다스리기 위해 나는 또 새로운 무언가를 찾아야 했다. 그러던 중 어느 날, 우연히 김미경 님의 강의를 접하게 되었다. 그 강의는 내게 신선한 자극으로 다가왔다.

그림을 다시 그리기 시작했다. 그림을 다시 시작하면서 나는 바빠지기 시작했다. NFT를 접하면서 오픈씨에 그림을 올리고, AI 아트를 하며 내 작품이 디지털화되는 과정을 통해 시대의 흐름과 함께 한다는 만족감도 느꼈다. 진보된 형태의 원소스멀티유즈가 다시 내게로 오면서 진정한 나의 창작을 시작하게 되었다.

때로는 한국처럼 인터넷으로 할 수 있는 것이 많지 않아 속 끓기도 했지만, 나름 노년의 나를 멀리서 바라보면서 하나씩 둘씩 다른 계단을 밟아간다. 이 아름다운 쑤저우에서 제2의 삶을 시작한 나는 석양이 만들어낸 노을의 아름다운 색깔로 나를 완성하기 위해, 창작해 놓은 나의 소중한 작품들을 다시 모아본다. 언젠가는 조용하고 자그마한 어느 미술관에서 내가 좋아하는 사람들의 작품과 내가 사랑하는 사람들과 함께 소박한 전시회를 여는 꿈을 꾼다. 그때에는 특별했던 위드님들도 함께 할 것이다. 그리고 그때에도 가장 아름다운 드레스로 가장 야하고 우아하게 멋지게 차려입고 진지후의 가장 멋진 곳에서 함께 기분을 낼 것이다. 해외 생활에서 형성된 우정과 추억, 그리고 새로운 환경에서의 자기 발견과 창작. 오늘도 나는 진지후 호숫가에 비치는 아름다운 태양의 빛과 반짝거리는 물결과 함께 그림을 그린다.

16

인사치레가 맺어준 인연

뷰티마우스 (일본/오사카)

한국에서 한국화를 전공한 후 메이크업 아티스트로 일하다가, 현재 일본에서 메이크업 아티스트이자 한국 웨딩 관련 프로듀서 겸 디렉터로 활동하고 있다. 2003년, 일본으로 유학을 떠나 현재의 남편을 만나게 되었고, 함께 2013년에는 일본 내 최초로 한국 웨딩 촬영 에이전시를 설립. 코로나로 회사를 접어야 할 위기 중 MKYU의 김미경 학장님과 켈리 최 회장님을 만나 결단과 도전을 통해 2020년에는 일본 내 한국식 스튜디오를 오픈, 현재는 한국 웨딩드레스 샵도 운영하며 일본 신부들의 로망을 실현시켜 주는 꿈의 일을 하고 있다.

일본에서의 생활이 어느덧 20년을 넘다 보니, 일본의 많은 것들이 자연스러워졌다. 하지만 성인이 되어 온 일본이라 아직도 익숙하지 않은 점이 많은 낯선 곳이기도 하다. 처음 일본에 왔을 때는 언어와 문화의 차이로 인해 말과 행동이 매우 조심스러웠던 기억이 난다. 특히 일본에서는 직설적이지 않고 간접적인 표현을 많이 사용한다는 것을 알게 되어, 그런 말과 표현을 많이 연습했던 기억이 있다. 예를 들면 '타테마에' '샤코지레' '오세지' 같은 표현들이 있다.

간단히 설명하자면:

* 타테마에(建前): 실제 의도와 다르게 표현하는 것
* 샤코지레(社交辞令): 형식적인 인사, 인사치레
* 오세지(お世辞): 마음에도 없는 말

이런 표현들은 인간관계를 원활하게 하려고 일상생활의 여러 장면에서 사용된다. 실제 생활을 하다 보면 그 구분이 어려울 때도 많고, 상대방의 기분을 배려하는 말들이 많아 듣기 좋은 말인지라 속마음을 알기 어려울 때도 있다. 일본의 옛 수도 교토는 일본인조차 "교토 사람들은 본심을 알기 어렵다."라고 말한다.

나는 언젠가 역사적인 도시 교토에서 살아보고 싶은 꿈이 있어서, 교토의 생활문화에 관심이 많고 교토 출신 사람들의 이야기를 듣는 것을 좋아한다. 그중 일상생활에서 '타테마에'에 관한 재미난 얘기가 있다. 교토에서는 친구나 지인의 집에 갔을 때 "잠깐 들어왔다 가세요."

라는 말을 듣고 바로 들어가면 안 된다고 한다. 본심이 아닐 경우가 있기에 세 번 이상 권유했을 때 비로소 들어가야 한다고 한다. 또한 지인이 집에 왔을 때 이제 좀 가 줬으면 할 때는 "후부츠케(お茶漬け (오차츠케): 밥에 녹차를 부어 먹는 음식)를 먹고 갈래?"라고 묻는다고 한다. "이제 갈 시간이야."라는 의미라 한다. 혹시라도 눈치채지 못하고 먹고 가겠다고 하면 속으로 "쟤는 뭐지? 눈치도 없네."라고 생각하고 뜨거운 녹차를 내주거나 손님이 사용할 수 있는 화장실을 청소하는 때도 있다고 한다.

일본에 대해 아무것도 모르던 내가 처음부터 교토에 갔었다면 아마 눈치 없는 행동 많이 했지 싶다. 하지만 오해는 없길 바란다. 모든 교토인이 그런 것은 아니고, 요즘 젊은 층은 이렇게까지 하는 사람은 거의 없다고 한다. 물론 나도 아직 이런 교토 사람을 만나 본 적이 없다. 내가 만나본 교토 사람들은 다른 지역 사람들보다 말투와 행동이 고급스럽고 품위가 있는 사람들이 많다고 느꼈다. 이 이야기가 교토에 대한 나쁜 이미지를 전달했는지 모르겠지만, 타테마에, 샤코지레, 오세지라는 문화가 있기에 일본 사회에서 서로 마음의 상처를 덜 받으며 생활할 수 있다고 생각한다.

내 인생이 바뀌게 된 계기도 바로 이 샤코지레 덕분이었다. 일본에 온 지 3주 만에 어학교 이벤트가 있었는데, 이벤트 후 몇몇 유학생들과 일본인들이 모여 뒤풀이를 했다. 뒤풀이 후 다들 연락저를 교환했고, 다음 날 지금의 남편에게서 "어제 만난 ○○입니다. 만나서 즐거웠습니다. 다음에 다 같이 또 만나요!"라는 문자를 받았다. 물론 나에게만 보낸 것은 아니었다. 일본어로 제대로 답장도 못 할 수준이었던 나는 친구들의 도움을 받아 "언제 시간이 좋으세요? 어디서 볼까요? 저희는 언제가 좋아요."라는 답장을 보냈다. 남편은 처음에는 그저 친절하게 샤코지레로 문자를 보냈을 뿐, 내가 바로 "언제가 좋아요?"라고 답장을 할 줄은 몰랐다고 한다. 하지만 그 문자가 계기가 되어 우리는 점점 가까워졌고, 국제 교류에도 관심이 많았던 남편은 나와 한국인 친구들에게 일본의 여러 곳을 소개해 주었고, 신정에는 자신의 집에 한국인들을 초대해 일본 설날을 경험하게 하는 등 많은 도움을 주었다. 덕분에 나는 일본에서 좋은 경험은 물론, 내 인생 최고의 반려자이자 최고의 응원자를 만나게 되었다.

한국에도 인사치레가 있지만, 처음에는 익숙하지 않았다. 시간이 지나면서 일본의 문화를 많이 이해하게 되었고, 이제는 내 삶의 일부가 되었다. 이러한 경험을 통해 사람들과의 소통이 얼마나 중요한지를 깨달았다. 앞으로도 일본과 한국의 문화적 차이를 존중하며, 즐겁게 살아가고 싶다.

17

'기부'에 진심인 나라

샤이니 (뉴질랜드/오클랜드)

한국 여행사에서 일을 하며 지금의 외국인 남편을 만났다. 결혼과 동시에 해외로 나와 싱가포르에 2년, 뉴질랜드 10년 생활을 하였다. 현재 다시 싱가포르로 돌아와 생활하고 있다.

책 읽는 것을 좋아하여 MKYU에 합류하게 되었다. 드림캣으로 활동했고, 두 번째 스무 살을 맞아 빛나는 삶을 살고 싶어 샤이니라는 활동명으로 바꾸었다. 현재 내가 잘하는 것, 좋아하는 것을 찾기 위해 계속 도전하는 중이다.

'골드코인' 뉴질랜드에서 1불, 2불짜리 동전을 두고 하는 말이다. 이 것은 기부하는 곳이면 자주 볼 수 있다. 슈퍼마켓 쇼핑카트에 기부 음 식들이 한가득 쌓여 있는 모습을 쉽게 볼 수 있는 뉴질랜드, 이들은 왜 기부에 저리도 열광일까?

한국에서 온 내게는 도무지 이해가 가질 않는 단어 '기부', 처음 이 단 어를 들은 곳은 교회에서였다. '다음 주는 음식 기부입니다.' 이런 공 지가 나오면 우리는 교회에 각종 캔 음식, 스팸, 쌀, 라면, 파스타면 등 쉽게 상하지 않고 오래 보관할 수 있는 음식들을 저마다 챙겨와 한곳 에 쌓아 모았다. 그리고 크리스마스가 되면 후진국 아이들에게 보내 기 위한 선물들을 신발 상자에 담아 가져갔다. 저렇게 모인 것들이 정 말 필요한 사람에게 가는 것일까? 의심이 들었다. 그런데 그것에 대 한 답을 가까운 곳에서 얻을 수 있었다.

처음 뉴질랜드에서 예배를 보기 시작했을 때 주일과 주중 모임을 하 는 장소가 달랐다. 심지어 고정 예배 장소까지 바뀌는 경우가 생겼다. 교회마다 자기 건물을 가지고 있는 한국의 문화에 길들어 있던 내게 는 이해가 가질 않았다. 교회 언니에게 물어보니,
"교회를 짓는 데는 어마한 돈이 들잖아. 차라리 그 돈을 어려운 사람 들에게 쓰려고 지역 커뮤니티센터에서 매주 예배를 드리고 있는 거 야."
"아하~그래서 장소 예약이 한발 늦게 되면 다른 곳에서 모임을 가졌

던 거구나."
알고 보니 대부분의 키위 교회는 학교 건물을 빌리거나 커뮤니티 센터를 빌려 예배를 드리고 있었다.

연말 세금 신고를 마감하기 얼마 전 교회 회계 담당자가 세금계산서를 주었다. 그동안 냈던 헌금에 대한 세금을 돌려받을 수 있다고 했다. 헌금, 기부에 대한 세금 환급은 33.33% 이렇게 금액이 많다 보니 이것을 돌려받는 달에는 용돈을 받는 기분이 들기도 했다. 좋은 일 하고 상 받는 기분이라 뿌듯함이 더 컸다.

기부를 활발히 하는 또 다른 곳은 학교였다.
이렇게 많은 모금을 하는 이유는 공립이 아닌 작은 사립학교의 경우 정부에서의 지원이 아주 부족하기 때문이다. 분기별로 PTA(부모와 교사의 모임) 회의에서 모금 전에 어떤 곳에 돈이 필요한지 사전 공지를 했다. 그리고 이 돈들이 쓰이는 내용도 상세히 공개했다. 기부금들은 학교와 관련된 시설물 업그레이드를 하는 경우, 또는 졸업 파티를 위하여 쓰이기도 한다.

가정에서는 학교 모금에 쓰이는 음식, 선물 등을 기부 또는 구입했다. 그중 가장 기억에 남는 것은 어느 날 아이가 학교에서 초콜릿 한 상자를 들고 온 것이다. 누가 몇 개를 팔았는지 명단까지 적게 했다. 반마다, 학년마다 가장 많이 판매한 어린이에게는 선물을 준다고 했다. 아이에게 경험도 키워줄 겸 야시장에서 판매할 기회를 만들어 주었다. 다행히 학교 기부 프로그램이라고 하자 많은 사람들이 선뜻 구입을 해주어 금방 팔 수 있었다.

학교에서는 모금을 위해 재활용 물건 판매, 디스코파티, 영화의 밤, Raffles day 때 추첨 티켓을 팔기도 했다. 어느 날 슈퍼에서 만난 같은 반 친구 어머니가 학교 점심 주문에 도움을 줄 수 있는지 물어왔다. 그렇게 우연히 PTA 어머니들의 점심 준비에 합류하게 되었다. 학교와 가까운 곳에 있는 스시집이나 제과점에서 음식을 주문했다. 그것을 받아와 약간의 금액을 붙여 판매했는데 그 금액을 학교 기부에 쓰게 된다는 것도 알게 되었다. 학교 행사가 있는 날에는 소시지나 핫도그를 아이들에게 팔기도 했다.

이처럼 아이들은 어렸을 때부터 모금 행사에 직, 간접적으로 참여하고 자란다. 기부가 가정, 학교, 사회 전체에 자리 잡았기 때문에 나라 전체가 모금을 열심히 하는 것 같다. 서로 믿음을 가지고 여유를 나눌 수 있는 기부 문화가 참 멋지게 느껴졌다.
선진국과 후진국을 나눌 수 있는 문화의 잣대 중 하나는 청렴도이다. 뉴질랜드의 청렴도가 3위를 한 이유는 그만큼 '기부'에 진심이었기 때문이 아닐까? 이런 것을 보면서 우리나라 사람들의 생각과 행동도 많이 바뀌어 선진국 문화에 합류할 수 있으면 좋겠다고 소망해 본다.

18

자연의 축복 - 행복은 기본값

선샤인 (호주/골드코스트)

나는 햇빛 좋은 호주 골드 코스트에 살고 있다. 한국에서 호텔리어로 일을 했었다. 나의 분야를 좀 더 전문적으로, 깊고 넓게 알고 싶어 호주로 이주해 골드 코스트와 케언스의 여러 호텔의 리셉션에서 일하며 다양한 경험을 쌓았다. 현재는 자영업자로 조심스레 첫발을 내딛고 있다. 조직 속에서의 직장 생활과 처음부터 끝까지 내가 선택하고 책임지는 일인 사업가의 다름을 몸소 체험하고 있다. 골드 코스트는 내 제2의 고향이다. 높고 푸른 하늘, 망망대해의 푸른 바다, 일 년 내내 반 팔로 생환할 수 있는 기후조건이 나의 삶을 풍성하게 만들어준다. 이런 곳에서 살고 있는 나는 선택받은 행운아다. 내게 주어진 이 자연 환경에 감사하며 나의 삶 자체가 휴양지의 삶이라고 생각하며 살아가고 있다.

이곳 골드 코스트로 온 때는 내 나이 서른여섯 살이었다. 그때까지 미혼이었고, 나 혼자 이 세상을 어떻게 살아가야 하는지 깊은 고민에 쌓여 있었다. 그래서 생각해 낸 것이 전문적인 경력을 쌓아 혼자서도 멋지게 잘 살아갈 수 있는 나를 만들어 보는 것이었다. 푸른 바다와 아름다운 자연으로 유명한 이곳에서 호텔리어의 경험을 쌓아 보자고 결심했다. 제2의 삶의 터전이 될 것이라고는 생각지 않았는데, 이곳에서 현재까지 20년 이상을 살고 있다. 그 이유는 시원하게 트여있는 여유로운 공간, 높고 청명한 하늘, 세상을 환하게 밝혀주는 이곳의 햇살 덕분이다.

호주에 온 지 한두 해가 지난 여느 해, 나이 드신 부모님 두 분만이 서로를 의지해 살고 계시는 것이 마음이 쓰여 한국에 돌아가 부모님과 같이 살아야겠다는 생각이 들었다. 그러고는 짐을 꾸려 한국으로 돌아갔다. 호주 가기 전에 근무하던 호텔에서 다시 와서 일을 하지 않겠냐는 주문에 얼씨구나 좋다 하고 그 자리를 잡아버렸다. 한국에서 다시 살아보려 마음을 먹고 있었다. 그러나 일이 끝나 하루를 정리하다 보면, 주말이 되면, 호주가 나를 잡아끄는 것이었다. 아무도 호주에서 나를 기다리고 있지 않았지만, 무한하게 펼쳐진 이곳의 텅 빈 공간이 그리웠다. 푸르디푸른, 시시각각으로 변하는 아름다운 하늘이, 교통체증 없이 내 차만이 도로를 차지하고 달리는 느낌이 그리웠다. 망망대해를 보여주는 바다와 수평선, 매일 새로운 음악을 연주하는 파도 소리가 나를 부르고 있었다. 호주 골드 코스트의 열린 공간이 나를 끌고 있었다. 내가 이렇게 삼차원적인, 환하게 비어있는 '공간(Space)' 을 좋아한다는 것은 이곳 호주에 와서 살아보고 알게 된 사실이다.

그렇게 한국살이는 오래지 않아 막을 내리고 다시 호주로 돌아왔다. 그리고 일 속으로 빠져 들었다. 내 나이 사십이 넘도록 혼자 살아왔다. 친구들은 결혼도 하고, 자식도 있으며, 기댈 수 있는 든든한 남편도 있었다. 나는 그때까지 혼자였다. 지금 내가 할 수 있는 것이 무엇인가를 생각했다. 내 이름으로 된 나만의 집, 집을 마련하는 것이었다. 모아둔 모든 자금을 끌어모아 작은 집을 구입했다. 집을 구입할 때 가장 중요했던 요소는 집이 환해야 한다는 것. 집은 마음에 드는데 집안이 캄캄하면 커튼을 열어 보고, 가든에 자라는 나무들의 가지치기를 해 주면 집이 더 환해질 수 있을까 고민했다. 이곳의 환한 햇살, 푸르른 하늘을 집 안에서도 마음껏 느끼고 싶었다. 햇살이 짧으면 짧은 대로, 길면 긴 대로 집 안으로 들어오는 햇살은 반갑기 그지없다. 아침과 오후 햇살의 방향에 따라 블라인드를 이쪽저쪽으로 바꿔가며 햇살이 조금이라도 더 집 안에 머물도록 최대한의 노력을 한다. 그 햇살 아래에 자리를 잡고 앉아 책도 읽고, 음악도 들으며 그 눈부심을 즐긴다. 햇빛은 내 마음에 활기를 불어넣어 주고 내가 머무는 공간을 따뜻하게 하며, 이 세상을 살 만한 곳으로 만들어준다.

혼자 살아야 하는 운명인가 보다 하고 생각했던 내게 어느 날 나의 반쪽이 찾아왔다. 그리고 내게도 오매불망 우리를 기다리고 계시는 시어머님이 생겼다. 그때부터 우리 부부는 십 년이 넘는 기간 동안, 시어머님이 돌아가실 때까지, 매년 시어머님을 방문했다. 골드 코스트에서 시어머님이 살고 계시는 와가와가(Wagga Wagga)까지 내륙의 고속도로를 이용하면 열네 시간 정도 걸린다. 동쪽의 해안 도로는 조금 더 빠르게 갈 수 있지만 교통 체증도 있고, 쉴 없이 바쁘게 달려야 하기에 우리는 내륙의 길을 이용해 여유로운 여행을 즐겼다. 운전하는 동안 여러 마을을 지나간다. 한 마을에서 다른 마을까지 길게는 서너 시간씩 운전해야 하는 곳도 있다. 그 동안 눈에 들어오는 경치는 지루하기 짝이 없다. 버려진 황무지 같은 땅들이 지속된다. 아득히 먼 거리의 나무들로부터 내 가까이 자리하고 있는 소 떼들, 양 떼들이 모두 모여 아름다운 한 폭의 경치를 만들어 낸다. 번개에 맞아 시꺼멓게 타 부러진 나뭇가지와 완만하게 솟아있는 구릉만으로도 달력에 나오는 그림을 만들어낸다.

장시간의 여행은 날씨가 좋은 날에는 별문제가 없지만 하늘이 흐려지기 시작하면 이야기가 달라진다. 그 느낌은 우주의 거역할 수 없는 섭리를 고스란히 체감할 수 있다. 낮게 깔린 먹구름 속에서 살아남으려 내 차만이 발버둥 치는 것 같다. 비라도 내리기 시작하면 초긴장해야 한다. 두려움 그 자체이다. 비가 내려 물이 차오르기 시작하는 것은 순식간이다. 피할 곳도 없다. 미친 듯이 달려 낮게 뒤덮고 있는 먹구름 사이로 살짝이 파란 하늘이 보이기 시작하면 '이젠 살았다'라는 안도의 숨을 쉬게 한다. 이곳의 자연은 위협적이다. 이 자연에 순응하지 않으면 살아남을 수가 없다. 거대한 자연의 섭리 안에서 인간은 그저 미미한 생명체임을 실감한다. 비가 갠 뒤 완벽하게 펼쳐진 무지개는 본능적으로 탄성을 자아내게 한다. 감탄 그 자체이다. 운이 좋으면 쌍무지개를 볼 수도 있다. 자연을 온몸으로 느끼고 체험하며 살 수 있는 곳이 바로 여기이다.

바닷가에 즐비한 레스토랑이나 카페는 주말 아침이 되면 쨍한 태양빛 아래 브런치를 즐기는 사람들로 북적인다. 서퍼들은 바람의 세기와 파도의 높이를 체크하며 하루를 시작한다. 사람들은 햇빛을 맞으며 조깅하거나 사이클링한다. 한겨울에도 바닷가 모래사장에는 비키니 차림으로 선탠하는 사람들을 흔히 볼 수 있다. 호주 사람들은 남녀노소 할 것 없이 맨발로 걷기를 좋아한다. 쇼핑도 하고, 산책도 한다. 그렇게 자연을 온몸으로 만끽하는 것이다. 도시에서는 자연과 어우러진 도시의 미를, 도시를 살짝 벗어나면 목가적인 자연의 아름다움과 더불어 숭고한 자연의 웅장함을 그대로 감상할 수 있다. 이 자연, 본연의 모습 그대로를 너무나 사랑하고 존중한다. 이제는 이 자연이 나의 가장 소중한 삶의 일부가 되었다.

19

나에게 캐나다 이민이란?

세라지니 (캐나다/벤프)

워킹홀리데이로 캐나다 입국 후, 자연의 아름다움에 매료되어 정착하게 되었다. 여행으로 온 캐나다는 평화로웠지만, 이민 정착 이후 삶은 고난과 역경의 연속이었다. 언어의 장벽, 문화 차이, 세 아이의 엄마라는 신분이 삶의 걸림돌이 되어 자존감을 하없이 떨어뜨렸다. 1살, 4살 두 아이를 유모차에 태우고, 6살 큰 딸 손을 잡으며 도착한 놀이터에서 '오드리'라는 친구를 만나면서 인생의 전환점을 맞이한다. 지금은 로키산맥의 장엄한 절경이 펼쳐지는 벤프에서 온 가족이 아웃도어 스포츠를 즐기며 행복하고 건강한 삶을 살고 있다.

"캐나다 어때? 아이들 키우기 좋아?"

친구들이 남긴 카톡을 보며, 잠시 생각에 잠긴다. 아이 키우는 일이 캐나다라고 더 수월하지는 않겠지만, 힘듦에서 즐거움으로 육아를 승화시켜 준 한 사건이 떠올랐다.

셋째를 출산하고, 2~3살 터울의 세 아이를 가정 보육 하던 시기였다. 하루 종일 세 아이와 지지고 볶다 보면, 언제 잠들었는지 언제 깼는지도 모르게 시간이 지나간다. 날짜 감각도 흐릿해져 가던 어느 날, 막내를 태운 유모차 손잡이에 둘째를 걸터앉히고, 큰 아이 손을 잡고 집을 나섰다. 마침, 놀이터에 우리 아이들 또래 두 명이 놀고 있었다. 가까운 벤치에는 갓난아이를 안고 수유하며 아이 둘을 바라보는 '오드리'가 앉아 있었다. 평일 오전, 아이 셋을 데리고 나온 그녀에게 묘한 동질감을 느꼈다.

"Hi."

눈이 마주치자마자 먼저 반갑게 인사하는 그녀가 참 고마웠다. 묻지도 않은 신상을 미주알고주알 털어놓았다. 궁금했던 육아 정보도 물어보았다. 오드리에게 하나를 물어보면, 검색 엔진보다 빠르게 2~3개의 답변이 돌아왔다. 그리고 복잡한 내용은 메모지에 적어 건네주었다. 그녀의 친절함에 순식간에 마음의 거리가 가까워졌다. 대화 중 그녀가 현재 육아 휴직 중이라는 사실을 알게 되었다. 이 시간에 아이 셋을 데리고 놀이터에 나오는 엄마는 당연히 '나와 같은 처지겠지.'라고 넘겨짚은 것이 화근이었다. 게다가 그녀는 캐나다 연방정부 공무원이라고 했다.

'What?!'
순간, 자격지심에 열렸던 마음이 굳게 닫혀버렸다. 어째서 그녀도 나처럼 아이들을 위해 24시간 희생하며, 우울함을 견디고 있을 거라 확신했을까? 머릿속을 스치는 복잡한 감정에 정신이 혼미해졌다.

"너는 어떤 일을 하니?" 오드리가 나에게 물었다. 아이들이 어려 그들을 위해 모든 걸 바치고 있다는 말 대신, 구직 중이라고 거짓말을 해버렸다. 얼굴이 발갛게 달아오르는 것을 감추려고 잠시 하늘을 바라보았다.

"구직 중이야? 그럼, 캐나다 공무원으로 지원해 보는 건 어때?"
'아아~악!'

쭈글쭈글한 츄리닝 바지에 목 늘어난 티셔츠를 입고 피곤에 쩔은 나는 속으로 꽥! 소리를 질렀다. '뭐? 지금 나한테 뭘 해보라고? 아이고, 너 잘났다. 그렇게 좋은 직업 가져서 좋겠다.' '후-' 나도 모르게 나오는 한숨과 마음의 소리를 진정시키고 최대한 예의를 차려 거절 멘트를 생각해 보았다.

"아니야, 나는 이민자이고, 캐나다 학위도 없어. 애가 셋인데 맡길 데도 없어. 캐나다 공무원은 불어랑 영어를 유창하게 해야 하는데 나는 영어도 못해."

만약, 오드리가 내 말을 자르지 않았다면, 나는 10분도 넘게 이유와 핑계를 줄줄이 대고 있었을 것이다. 그러나 나의 친구 오드리는 그렇게 호락호락하지 않았다. 이민자도 지원할 수 있는 포지션이 있고, 영어 공부는 할수록 실력이 늘 것이고, 한국어를 한다는 것은 이미 2개 국어를 구사하는 것이며, 캐나다 학위는 한국 학위로 대체할 수 있고, 어린이집에 지금 당장 전화해서 대기 순번에 넣어 놓으면 언젠가는 연락이 올 거라고 했다. 믿을 수 없지만, 믿고 싶어서일까? 듣고 싶었지만, 아무도 해주지 않은 이야기라서일까? 나는 그녀의 이야기를 잠자코 듣고 있었다.

마지막으로 그녀는 나에게 최후의 한 방을 날렸다.
"우리는 세 아이 엄마이다. 아이 셋을 낳고 키우고 있는데, 세상에 이보다 힘든 일이 뭐가 있겠냐? 우리는 이미 승리자다."
'뭐든지 할. 수. 있. 다!'
Oh My God. 망치로 머리를 한대 얻어맞은 느낌이다.

때마침, 막내가 칭얼대며 낮잠 시간임을 알려주었다. 나는 얼른 정신을 차리고, 얼룩덜룩한 기저귀 가방에 애들 간식, 물통, 여별 옷, 기저귀, 딸랑이를 구겨 넣었다. 묵직한 가방을 오른쪽 어깨에 들쳐멨다. 가방을 들쳐멘 오른손으로 유모차를 밀고, 왼손으로 첫째 손을 붙들고 집에 돌아오는데, 나도 모르게 눈물이 흘렀다. 아이가 셋이라 못 한다고 생각했는데, 아이 셋이라 뭐든지 할 수 있는 거였다니.

그날부터 나는 파트타임을 그만두고, 낮에는 아이들과 더 신나게 몸으로 놀아주었다. 그리고 이른 저녁 세 아이를 재우고, 새벽까지 영어 공부를 했다. 코피가 흐르면 휴지로 막고, 아이가 깨면 토닥토닥 두드려 재우며 영어 단어를 외웠다.

"애 셋 엄마가 못할 게 뭐냐?"라는 오드리의 말을 끊임없이 머릿속에 떠올렸다. 오드리의 조언으로 대기자 명단에 올려두었던 어린이집에서 연락이 왔다. 아이들은 최선을 다해 그들의 삶을 살았고, 나는 더욱 집중하여 나의 미래에 투자하는 시간을 보냈다.

2년 후, 나는 오드리에게 공무원 임용 소식을 알려줄 수 있었다. 그때의 나는 더 이상 아이들 '때문에' 희생하는 엄마가 아니었다. 아이들 '덕분에' 한계를 깨고 다시 태어난 엄마가 되었다. 외벌이의 무거운 짐 지고 있던 신랑에게 더 이상 미안해하지 않아도 되었다.
만약, 과거로 돌아갈 수 있다면, 그날 놀이터에서 펑펑 울며 터덜터덜 걸어오던 그때의 나를 꼬~옥 안아주고 싶다.

20

나에겐 기회였던 나라

세피니 (미국/로스앤젤레스)
나는 20살에 미국으로 이민 와서, 현재 로스앤젤레스 동부의 하시엔다 하이츠에서 25년째 거주하고 있다. 지금은 남편과 함께 스시·롤 십을 운영하고 있으며, K-Beauty 뷰티 사업가로도 활동하고 있다.

미국에 오게 된 계기는 고등학교를 졸업한 후 아빠의 회사 스카우트 제의로 인해 가족 이민을 왔다. 사실은 회사 스카우트는 대면적 이유이고, 나의 별 볼 일 없는 대학 진학 문제 때문이었다. 그 학교를 나와 어엿한 직장을 못 가질 것이라 느끼신 것일까? 갑작스러운 해외 이민을 결정하셨다. 친구들과 친척들을 한국에 두고 99년 9월 나는 한국에서 미국에 왔다.

나에게 미국 생활이란 기회였다. 한국에서 하고 싶었던 전공은 인테리어 디자이너였다. 그러나 한국에선 넘볼 수 없었던 전공이었다. 인테리어 디자인도 예체능이었기에 하고 싶다는 생각이 들었을 땐 이미 늦었다. 그래서 성적에 맞는 그저 그런 학교의 전공을 선택하게 되었다. 대학교에 들어가기 전, 미국에 올 수 있는 기회가 생겼고 난 그렇게 미국에 왔다. 미국에 와서는 내가 하고 싶은 전공을 선택할 수 있게 되었다. 영어라는 큰 장벽이 있었지만, 난 하고 싶은 전공을 할 수 있다는 생각에 너무 좋았다. 어렸을 때부터 신문에 있는 모델하우스들의 도면 보는 걸 좋아했다. 어디에 방이 있고, 어느 위치엔 부엌이 있고, 어디엔 베란다가 있으며…. 그 도면을 보면 그냥 좋았다. 그래서일까 전공은 인테리어였지만, 설계와 공사, 도면 그리는 직업을 미국에서 비록 한국인 회사였지만 취직해서 다녔다. 지금 생각해 보면 왜 미국 회사엔 면접조차 보지 않았겠느냐는 의구심도 든다. 영어가 아직 완벽하지 않다고 생각해서일까? 학교 다닐 때도 발표할 때 빼곤 조용히 다니던 학생이었다.

20대와 30대의 소심했던 시절을 지나, 지금 40대 중반으로 향해가며 아줌마 파워 덕분인지 자신감이 생겼다. 한 번 더 도전해 보고 싶다는 생각이 든다. 지금도 도면을 보면 마음이 편안해진다. 아이를 낳으며 회사는 그만두었지만, 도면의 이끌림은 여전히 강하다.

나는 새로운 환경에 적응하며, 새로운 기회를 잡았다. 영어라는 장벽이 있었지만, 꿈을 이루기 위해 꾸준히 했다. 꿈을 향한 꾸준함이 중요한 것 같다. 자신감을 가지고 도전하는 것이 얼마나 중요한지 생각해 본다. 앞으로도 새로운 도전을 두려워하지 않고, 꿈을 향해 나아가고자 한다.

언젠가는 다시 돌아갈 것이다.

21

아이들의 고등학교
트랙을 달리며

스위트피 (미국/메릴랜드)

미국 동부 지역 워싱턴 디시에서 한 시간 남짓한 거리인 메릴랜드에 살고 있다. 미국에 온 지 20여 년이 훌쩍 지나 큰딸은 직장인으로 벌써 3년 차 얼마 전 둘째 딸 대학 졸업시키고 취직까지 돼서 8월부터는 독립해서 살게 되면서 이제 진정한 부부만의 생활을 즐기려 하고 있다. 자식을 독립시키는 게 아니라 부모가 자식에게서 독립해야 한다는 마음가짐으로 자식에 대한 미련을 좀 덜어내려 노력 중이다.

지난 주 4년 만에 두 아이가 졸업한 고등학교 트랙에서 달리기 연습을 하면서 아이들의 학창 시절을 생각하게 됐다. 두 아이가 나이 차가 있어서 학년이 6년이나 차이가 나서 라이드 기간이 길었다. 꼬박 8년을 왔다 갔다 하면서 정이든 학교다. 미국에서 자라는 아이들한테 고등학교는 특별한 느낌일 것 같다. 지금도 뿔뿔이 흩어져 살던 아이들도 부모님이 동네에 살고 있으면 돌아와 서로 연락해 친구들을 만나는 모습 보면 세월의 흐름을 느끼게 된다.

미국에서의 아이들 뒷바라지는 쉽지 않았다. 교육 시스템 자체를 경험해 보지 않아 전혀 모르고 몸으로 부딪치는 수밖에는 없었던 것 같다. 저학년일 때는 무조건 현장학습이든 뭐든 따라다니고 학교 도서관에서 봉사활동도 하면서 조금이라도 알려고 했는데 중학교 고등학교에 진학하면서는 내가 도와줄 방법이 별로 없다는 걸 깨닫게 됐다. 그저 아이가 원하는 걸 하게 하고 라이드만 열심히 할 뿐 다른 게 없었다.

그러면서도 이해가 안 갔던 것은 계절별로 아이가 다른 걸 하는 것이었다. 왜 하나를 진득하게 안 하고 이것저것 하는 거야? 하면 큰 아이는 지금밖에 하질 않아…. 하는 것이다. 나중에 알고 보니 아이는 나름대로 열심히 자기가 할 것을 찾아서 했다. 엄마가 잘 몰라서 아이들 나름대로 아마도 스트레스를 많이 받았을 것이다. 큰아이는 하고 싶은 게 너무 많아서 정말 몸도 마음도 바빴다. 새벽부터 밤까지 학교를 들락날락하면서 태워다 주고 계절별 콘서트 등 아이 행사 보러 가기도 바빴던 것 같다. '고등학교를 저렇게 재미나게 보낼 수 있구나!' 하는 것을 아이들을 보며 알았고, 새벽부터 밤까지 그저 공부만 하던 나의 한국에서의 고등학교 시절과 너무 비교됐다. 가장 이쁘고 활기 넘치는 시기에 우리는 뭘 했나 싶던…. 그런데 막상 이런 자유로운 분위기에 나는 아마도 적응 못 했을 것이라는 생각도 들면서 안도감을 느끼기도 했다.

대학교에 들어가 공부하는 모습을 보니 그건 누가 시켜서가 아니라 본인이 알아서 하는 공부라는 것이 보였다. 대학 4년 동안 너무 힘들어서 졸업하고 큰아이는 아르바이트만 하면서 좀 쉬고 싶다고 했다. 그 일 년이라는 시간이 결코 그냥 노는 시간이 아니라 여행도 다녀오고 나름 천천히 준비를 한 시간이란 생각이 든다. 일 년이 지나 본인이 원하던 곳에 취직하고 나서야 남편이나 나나 그 시기를 잘 견뎌낸 것에 서로 쓰다듬어 주기도 했다. 한국에 계신 부모님들은 걱정이 한가득이었다. 한국 정서로는 뒤처지기만 해서 어떡하나 하셨다. 다 좋게 좋게 마무리되어 얼마나 다행인지….

둘째는 언니와 다르게 하고 싶은 게 그다지 없었다. 언니랑 나이 차이도 있고 해서 뭐든 일찍 시작하고 일찍 포기한 게 많았다. 두 아이 따로 태워다 주기가 쉽지 않아 큰아이 위주로 해서 그런 것 같기도 하다. 중학교 고등학교 때는 배 아프다고 해서 학교 양호실에서 전화 오면 데리러 가기에 바빴다. 고등학교 때는 출석 일수가 모자를 지경까지 이르러서 조금 조심하게 되면서 다행히 졸업은 할 수 있었지만 뭔가 안 좋은 일이 있는 건 아닌지…. 걱정이 한가득이었다. 뭔가 달라지고 싶은 마음에 다들 SAT 시험 준비로 바쁜 여름 방학 시기에 우리 가족은 산티아고 순례길에 올랐다. 남편이 마라톤을 시작하면서 같이 하게 된 나도 어느 정도는 체력에 자신이 있었기에 아이들과 매일 운동 삼아 틈틈이 배낭 메고 하이킹도 하면서 준비한 시간이 좋은 추억으로 남았다. 매일 걷고 숙소인 알베르게에 도착해서 빨래하고 맛있는 거 먹고 자고 또 걷고… 하면서 아이들은 무슨 생각을 했을까…. 힘들 때는 같이 침묵하고 좋을 때는 깔깔대며 우리 네 식구는 오롯이 함께하는 시간을 가졌다.

둘째는 2020년 코로나 비상사태 때 졸업하고 대학 입학을 하게 되면서 아이는 졸업식도 입학식도 대학 오리엔테이션도 다 경험해 보지 못하고 무미건조한 줌으로 강의를 듣고 친구들도 만나지 못한 상태로 대학 생활을 시작해서인지 옆에서 보기에 참 딱해 보였다. 비상사태가 끝나고 학교가 가깝지만, 기숙사 생활을 시킨 것도 좀 더 학교생활이나 친구들과 더 많은 시간을 보내게 하고 싶은 마음에서였는데 아이는 어김없이 금요일이면 데리러 가고 월요일에는 데려다주고…. 참 재미없는 대학 생활을 보내는구나…. 걱정이 됐다. 다행히 바라던 교환학생 프로그램을 할 수 있어서 오스트리아 잘츠부르크 대학에서 한 학기 보낼 수 있었다. 그곳에 가서 처음으로 오리엔테이션이라는 것도 해보고 각 나라에서 온 친구들과도 어울리면서 활기 띤 모습을 보여서 가슴을 쓸어내렸다. 그런 것들이 나의 마음 구석에 늘 자리 잡은 안쓰러움이 있었는데 그게 해소가 된 느낌이었다.

나의 미국에서의 20여 년의 세월은 아이들과 함께 달려온 내 인생의 여정 일부였다는 걸 안다. 우리 부부는 아이들이 마칭 밴드를 하고 테니스를 배우고 하던 운동장에서 달리기하고 테니스를 치고 있다. 아이들이 졸업하고 4년 만의 방문이다. 당분간 매주 가게 될 것이다. 같은 공간에서 다른 시간에 아이들과 공감할 수 있는 것이 또 하나 늘었다. 작은 애 졸업식 다음 날 두 자매는 일본에서 3주, 한국에서 3주 여행 중이다. 첫째는 6주 휴가를 얻기 위해 그전에 열심히 더 일했다. 큰 아이는 대학 졸업하고 한국 여행 때도 비행기표 값과 용돈을 보태 줬는데 작은아이도 비행기표 값 대준다고 하니 동생 졸업 선물로 일본 숙박비를 본인이 다 부담하겠다고 했다. 둘만의 이런 긴 시간 동안의 여행이 좋은 추억으로 남았으면 좋겠다. 우리 부부는 또 마음이 가벼워진다. 그래 우리가 아이들에게서 독립하자. 아이들이 훨훨 날개 펴고 날아갈 수 있도록. 아이들이 돌아오는 대로 우리 부부는 여행을 떠날 것이다.

22

5년 후 나에게, 설렘

스윗맘 (미국/오클라호마)

미국 오클라호마에 살고 있는 아이 셋 키우는 엄마이자 작은 카페를 운영하는 워킹맘이다. 미국에 거주한 지는 26년째다. 이렇게 오랫동안 살 줄은 꿈에도 생각하지 못했는데 제2의 고향이 되었다. 다양한 사람들을 만나고 다른 문화를 경험하면서 어쩜 이런 삶을 살기에 딱 좋은 지금의 시대를 살고 있는 것 같다.

동아대학교 병원 간호사로 7년 반을 재미있게 근무했던 기억들은 내 인생의 손꼽히는 추억 속의 한 장면으로 자리 잡았고, 더불어 미국 간호사 자격증을 따기 위해 직장도 그만두고, 노량진 고시원에서 6개월 동안 학원 다니며 공부한 기억은 내 평생 잊지 못할 명장면 중 하나로 마음 한편에 남아있다. 그때 함께 미국 간호사 자격증을 공부했던 목사님 사모님, 수간호사님, 젊은 학생 등 다들 어디서 어떻게 지내고 있는지 잠시 머릿속을 스치고 지나간다.

그렇게 공부하여 미국령인 괌에 가서 시험을 보고, 합격하여 미국으로 올 때가 내 나이 29살이었다. 그때도 늦은 나이에 유학을 오게 되었고 낯선 문화와 환경은 오랫동안 외로움에 힘들었다. 가족들도 친구들도 없으니 뭐 한다고 여기까지 와서 이러고 사는지 남편이 원망스럽기만 했었다.

그렇게 하루하루를 지내다 보니 어느덧 세 아이의 엄마가 되어 있었다. 남편의 성공과 아이들의 꿈이 나의 꿈이라고 생각하며 나의 30대와 40대를 지나고 50으로 갈 때쯤에 '아하! 이건 아니구나'. 김미경 학장님을 알고 MKYU를 만나면서 우물 속에 자리를 잡고 있던 나는 비로소 나를 찾게 되었고 내가 얼마나 멋지고 가치 있고, 밤하늘에 반짝이는 별처럼 아름다운 존재인지를 알게 되었다. 책을 읽고 공부하는 도반들을 만나면서 얼마나 치열하게 열심히 살아가는 사람들이 많다는 것과 배움의 열정 또한 이렇게나 강렬하다는 것을 배우게 되었다.

2021년도에 처음으로 온라인 세상에 들어오면서 인스타그램을 처음 하게 되었고 SNS도 할 수 있는 것은 무엇 하나 아무것도 없었다. 진짜 무식하게 공부할 때는 새벽 3시 30분에 일어나서 공부를 했었다. 나는 디지털 문맹이니 남들 하는 것 두 배로 더 많이 하면 할 수 있을 거라는 마음으로 나의 속도대로 나의 환경에 맞게 남과 비교하지 않고 지금껏 지속적으로 달려왔다….

이제는 조금 늦게 시작한 분들에게 내가 아는 것들을 나눌 수 있는 자리까지 온 것 같다. 그 결과 지금은 인스타그램을 시작으로 블로그, 유튜브, 스레드, 틱톡, 카카오 채널 그리고 오픈채팅방 방장으로 까지 성장하게 되었다. MKYU에서 공부한 덕에 크립토 쪽으로 100명의 열정 대학생분의 메타마스크 만드는 일을 도와드렸고, 해외 1캠퍼스 리더로도 봉사할 수 있었다. 작년 6월에 시작한 오픈채팅방은 현재 1번 방 1,300명 2번 방 300명 함께 활동하고, 채널 톡 친구는 이제 900명이 되었다.

모두가 공부하여 이루고자 하는 온라인 수익화도 작년 6월부터 시작되었고, 올해 5월 한 달 동안에 690만 원까지 수익을 내게 되는 결실도 맛보았다. 나 자신이 뿌듯하게 느껴지던 순간이다. 사춘기 두 아이를 돌보면서 카페 운영하고, 미국에서 오픈채팅방 운영으로 수익화까지 이뤄낸 나 자신이 얼마나 기특하고 뿌듯한지 이루 말할 수 없을 정도다.

많은 강사님을 섭외하고 고객들을 모객하면서 마케팅에 대해서도 관심 깊게 공부하게 되었다. 일단 시작하고 행동으로 하다 보니 너무나 많은 아이디어와 길들이 보이는지 책에만 나오는 이야기가 아니고 실제로 내가 체험해 보니 실행이 답이라는 것을 요즘 뼛속 깊이 느끼고 있다.

5년 후에는 우리 막내가 대학을 간다. 내 나이 60. 너무나 기대된다. 나의 60대를 생각하면 설레고 가슴이 뛴다. 책을 읽고 공부하면서 내면의 부를 쌓고 있는 나는 누군가를 도우면서 다시 그 에너지로 살아가려고 한다.

더 넓은 세상을 보고, 더 많은 사람들을 만나고, 더 깊이 생각할 기회를 준 미국 생활은 나에게 행운이었다. 모든 것이 도전이었던 해외살이는 나를 더 단단하게 만들었고, 지금은 더 많은 나라에서 나의 꿈을 펼쳐보고 싶다. 5년 후 얼마나 달라진 나를 만날지 기대하며, 오늘도 주어진 하루를 아름답게 채우고 싶다.

23

우리의 삶은 예고편이 없다.

시애틀 양말 (미국/시애틀)
25살까지 한국에서 살다가 언니 옆에 살고 싶다는 이유 하나로 미국으로 건너왔다. 꿈도, 계획도 없이 하루하루를 살아가던 중 시애틀에 방문하신 김미경 선생님을 만나 지금까지 살아온 것처럼 앞으로도 살아가면 안 되겠다고 생각하게 된 후로 성장하기 위해 노력하는 다양한 사람들을 접하게 되고, 처음으로 꿈이라는 것을 찾으며 하루하루 조금씩 성장하는 삶을 지향하게 되었다. 현재진행형으로 꿈을 찾고, 지극히 평범하지만, 그 가운데 특별함을 발견하려 애쓰고 있는 40대 어지 사람이다.

여느 날과 다르지 않은 아침, 내 전화에 이어 남편의 전화벨 소리가 요란하게 울렸다. 아침 시간은 항상 분주해서 보통 전화는 걸려 오지 않기에 나는 순간 무슨 일이 일어났구나! 하는 직감을 했다. 한국에 계신 엄마로부터 온 연락이었고 아빠가 병원에서 갑작스럽게 심정지를 겪으셨다는 소식이었다. 응급처치로 10분 후에 다시 정상으로 돌아왔지만, 미국에 살고 있는 우리 자매들이 한국으로 나가봐야 할 것 같다는 내용이었다. 너무나 갑작스러운 일이었다. 아빠는 평소에 심장 질환이 있었지만, 큰 문제는 없었기에 더욱 놀랐다.

급하게 비행기 티켓을 사고 짐을 챙겨 공항으로 가는 길에 아빠가 돌아가셨다는 연락을 받았다. 자식들이 모두 해외에 살고 있고 부모님만 한국에 계시니 나중에 돌아가셨다는 연락을 받고 한국에 가게 될 수도 있겠다는 생각은 항상 하고 있었다. 하지만 이렇게 갑자기, 이렇게 빨리 상황을 마주하게 될 줄은 몰랐다.

사실 나는 아빠와 사이가 좋지 않았다. 공항으로 가는 길에 차에서 울고 있는 나에게 6살 딸이 왜 우느냐고 물었다. 할아버지가 천국에 가셨다고 얘기하니, 딸은 "엄마는 할아버지랑 맨날 싸웠잖아. 근데 왜 울어?"라고 물었다. 아이가 보기에도 나는 아빠에게 소리 지르던 모습이었구나 하는 생각이 들었다.
생전 아빠와의 마지막 모습을 떠올려봤다. 1년 전 한국에 나갔다가 미국으로 돌아오던 날, 공항에 따라오겠다고 나섰던 아빠를 집에 있으라고 매몰차게 대했던 모습이 마지막이었고, 한 달 전쯤 마지막 통화할 때도 짜증 내며 통화했었다. 너무 갑작스러운 일이어서 영정사진도 준비되지 않은 상황이었다. 다행이라고 해야 하나, 3년 전 함께 여행 가서 찍은 사진들이 내 클라우드에 남아 있었다. 사진 속에서는 왜 그렇게 환하게 웃고 있는지, 그 사진을 찍어주면서도 엄청 신경질적이었던 내 모습이 보였다. 그 사진이 영정사진이 될 줄이야.

농담 섞인 말로 나중에 아빠 돌아가시고 눈물도 안 나면 어쩌나 했었는데, 하염없이 눈물이 났다. 입관 전 아빠의 마지막 모습을 마주했을 때 제일 처음 나온 말이 "아빠, 미안해."였다. 언젠가는 허심탄회하게 얘기할 날이 있겠지, 웃으면서 얘기 한 번 해봐야지 생각했었는데 이제는 그렇게 할 수 있는 시간이 없다는 사실에 마음이 미어진다. "있을 때 잘해라." 이 말이 무슨 말인지 뼈저리게 느껴졌다.

장례를 마치고 미국으로 돌아와서 일주일이 지나지 않아 내 생일을 맞이했다. 생일날 저녁에 문득 그런 생각이 들었다. 아빠는 나를 이 세상에 낳아준 것만으로 자신의 할 일을 다했구나. 지금까지 왜 그렇게 갖은 원망으로 미워하기만 했을까?

김창옥 선생님의 강연에서 부모를 볼 때 부모가 아니라 그 나이의 한 남자, 여자로 생각하니 이해가 되더라는 얘기를 들었다. 그때는 무슨 뜻인지 몰랐는데 이제는 그 의미를 너무 잘 알 것 같았다. 아빠의 어린 시절부터 인생 전체를 떠올려볼 때, 그럴 수밖에 없었구나라는 생각이 들었다. 물론 모든 일들이 다 이해되는 것은 아니지만 적어도 미움의 감정은 사라지게 되었다.

아빠가 돌아가시고 아빠의 휴대폰을 보는데, 최근 통화 기록과 카톡 메시지를 확인하면서 가족은 물론 사람들과의 연락이 거의 없었다는 것을 알게 되었다. 아빠가 많이 외로웠겠구나 라는 생각이 들면서 멀리 있는 손녀들 사진이라도 자주 보내줄걸 하는 후회와 미안함이 몰려왔다.

나는 또 내 자리에서의 일상을 살아가고 있다. 문득문득 가슴이 저릿해 오지만 나에게 아빠와의 좋은 추억들도 분명 있을 테니 그것들을 하나씩 찾아 생각하며 살다 보면 미움의 대상이 아닌 감사와 사랑의 대상으로 바뀌게 되지 않을까 하는 기대를 해본다.

24

타국에서 만난 소중한 인연

신디CL (미국/시카고)

인생에 첫 미국행 비행기로 뉴욕 JFK에 도착했다. 버팔로와 인디애나를 거쳐 현재는 시카고에서 살고 있다. 이곳에서 MKYU를 통해 만난 여러 커뮤니티에서 많은 것을 배우고 경험하고 있다. 닉네임을 정할 때 신디 내 이름과 CL은 Christ in Love 약자를 썼다. 미국 삶에서 참된 크리스천을 만나면서 내 신앙에 많은 영향을 받았다.

미국 첫 생활을 시작한 버팔로의 겨울은 잊을 수 없다.

내가 살던 집은 이층집이었다. 어느 날 아침 1층에서 문을 두들기는 소리에 열어보니 집 앞은 눈으로 가득 차 있었다. 관리인이 굴을 파고 들어 와 눈을 치웠던 기억이 난다. 그때 내가 본 눈은 무서울 정도로 많아 잊지 못할 추억 중 하나이지만 나이아가라 폭포는 여전히 겨울이 멋있다.

미국 생활 두 번째 장소는 인디애나주 조그마한 타운 먼시이다.

대학교 주위로 타운이 만들어져 있고, 그 안에 교회와 선술집, 레스토랑, 경기장, 병원으로 이루어진 곳으로 정말 조용한 타운이었다. 특히 아이들 미취학 전 다니는 학교 중에 대학교 안에서 운영하는 preschool은 정말 최고였다. 교수와 학생들이 함께 운영하며 많은 경험을 아이들에게 제공해 주었다. 아마도 딸아이에게 재밌는 기억이 남아 있을 것 같다.

이곳 한국이 아닌 타국에서 가족 이상으로 나에게 힘이 되어준 두 언니를 만났다. 자녀를 키우면서 함께 교회 생활 속에서 서로를 위해 기도하고 봉사하며 시간을 나누었다. 멀리 떨어져 있는 부모님보다 더 의지하며 아무도 없는 낯선 곳, 아무에게도 마음을 열 수 없었던 이곳에서 내 인생에 힘들 때 힘이 되어준 언덕과도 같은 분들이다.

그중 한 언니는 가족의 이민으로 어린 나이부터 미국 이민 생활을 하며 자라왔다. 미국인이나 다름없는 언니는 미국 생활을 지혜롭게 살아갈 수 있도록 도움을 준 분이었다. 또 다른 언니는 자신의 커리어를 만들어가며 나에게 좋은 멘토가 되어준 분이다. 어릴 적 언니가 있는 친구들이 부러웠던 내게 새로운 나라에서 언니가 되어 주신 분들, 이렇게 시간이 흘러 내 나이 50 후반을 넘어가는 데도 서로 다른 지역에서 살고 있는 두 언니는 여전히 내 삶에 소중하고 큰 힘이 되어주고 있다.

그리고 미국 생활 세 번째 장소는 시카고이다.
멋진 빌딩 사이로 흐르는 시카고 강이 아름다운 호수와 멋드러지게 어우러진 미국 중부 대도시에서 살짝 벗어난 외곽도시에서 살아가고 있다. 이곳에서도 잊지 못할 귀한 인연이 있다. 내 삶을 다시 점검할 수 있도록 만들어 준 소중한 인연인 MKYU는 다시금 꿈을 꿀 수 있도록, 나에게 두 번째 인생을 만들어주었다. 김미경 학장님과 함께 시작한 514 챌린지는 나를 바꿔 놓은 지금도 계속 진행하고 있다.

굿쩍월드 커뮤니티를 통해 새로운 공부와 내 생애 첫 북클럽 부엉쇼, 내바시, 꿈 공방, S 커빌 등 많은 경험을 계속하며 커뮤니티 안에서 소중한 인연을 만들어가고 있다.
작년 아빠의 소천으로 한국방문 때 이곳에서 만난이들이 나를 찾아와 함께 위로해 주었다. 이렇게 소중한 만남, 김미경 학장님과 해외굿쩍 분들을 잊을 수 없다. 내 인생을 좀 더 아름답게 만들어 갈 수 있는 소중한 인연에 감사드린다.

25

타지마할에 가지 않으면
다시 인도에 온다고?

실비아 (인도/첸나이)

인도에서 5년, 슬로바키아에서 2년 반을 지낸 후 다시 인도로 돌아온 해외 주재원 가족이다. 국악과 음악치료를 전공하여 외국으로 나가기 전까지 병원, 학교, 심리 상담 센터에서 음악 치료사로 일했다. 슬로바키아에서는 '슬로박 실비아'라는 닉네임으로 굿쨍월드에서 활동하며 전 세계 쨍쨍이들과 교류했다. 시각예술에도 관심을 가져 다양한 드로잉을 배우며 '드로잉으로 힐링하는 음악 치료사'라는 나만의 정체성을 구축했다.

전자 그림책《11살의 여행》을 출간했으며, 앞으로도 음악과 시각예술의 융합을 통해 더 많은 이들에게 위로와 영감을 전하고자 한다.

인도에 처음 갔을 때, 주재원들 사이에 떠도는 소문이 하나 있었다. 주재 기간에 "타지마할에 가지 않으면 다시 인도에 오게 된다."는 것이다. 실제로 우리 가족과 친했던 한 가족은 타지마할에 가지 않고 한국으로 돌아갔는데, 1년 만에 다시 인도에 왔다. 또 다른 가족도 타지마할에 가지 않고 귀국했다가 몇 년 후 다시 인도에 왔다. 이 소문은 과연 진실일까, 아니면 우연의 일치일까? 타지마할에 가지 않았던 우리 가족 역시 7년 만에 다시 인도로 돌아왔다.

2011년 가을, 남편이 인도 주재원으로 첫 발령을 받았다. 나는 과거 해외 생활 덕분에 인도에서도 큰 걱정 없이 잘 적응할 것이라 생각했다. 그러나 결혼 4년 차임에도 아이가 없었기에, 인도 이주를 앞두고 난임에 대한 불안감이 컸다. 다행히 인도에서 만난 친구들을 통해 나는 작은 희망을 얻을 수 있었다. 인도의 더운 날씨와 파파야가 임신 확률을 높인다는 것이었다. 조금은 의심스러웠으나 그들의 조언대로 나는 매일 파파야를 먹기 시작했다. 놀랍게도 인도에 온 지 3개월만에 임신 소식을 듣게 되었다. 정말로 파파야가 임신에 도움이 되었을까?

나는 인도에서 출산할 용기가 없어 한국에서 아기를 낳았다. 산모의 영양과 건강이 중요했고, 첫 출산이라 신경 쓸 일이 많을 거라 생각했다. 한국은 의료 시설이 좋고, 친정 부모님의 도움을 받을 수 있어 안심되었다. 실제로 아기가 제때보다 일찍 태어나 남편과 떨어진 상황에서 출산했는데, 그때 가족의 도움이 큰 힘이 되었다. 아기가 백일이 될 무렵, 인도로 데리고 오며 걱정이 생겼다. 위생 상태가 좋지 않은 인도 수돗물이 아기의 입으로 들어가거나 피부에 해가 될까 염려되었다. 그래서 매주 많은 양의 생수를 주문해 큰 통의 생수로 아기 욕조를 채워 씻기고, 작은 병의 생수로 헹궈주었다. 아기 손수건, 옷, 턱받이도 모두 생수로 빨고 삶아 소독했다. 번거로운 일이었지만 집안일을 도와주던 락시미 덕분에 수월했다. 지금 돌이켜보면 웃음이 나지만, 아기가 건강하게 잘 자란 것을 보면 그때의 결정은 잘한 일이라고 생각한다.

먼 나라에서 또래 아이를 키우는 친구들을 만나게 된 것은 정말 큰 행운이었다. 우리는 서로의 집을 오가며 아이들과 함께 영어 공부를 했고, 그 과정에서 많은 것을 배우고 공유했다. 아이들이 유치원에 다니면서 우리는 함께 요가하고 프랑스 자수와 골프를 배웠다. 이 작은 모임은 우리의 일상에 기쁨을 더해주었고, 잠시나마 육아 스트레스에서 벗어날 수 있는 소중한 시간이었다.

일요일마다 우리 가족은 한인 성당에 갔다. 인도에서 한국어로 미사를 드리고 성가를 부르는 것은 큰 축복이었다. 또한, 내가 가진 음악적 재능으로 성가대에 봉사할 수 있어 감사했다. 다만 어린아이가 있어서 봉사하기 어려울 때도 있었다. 그때마다 많은 분들이 아이를 돌보아주었고 내가 미사에 집중하여 봉사할 수 있도록 배려해 주었다. 성당은 단순히 미사를 드리는 곳이 아니라, 나에게는 또 하나의 가족이

자 마음의 안식처였다.

5년간의 인도 생활은 정말 감사한 시간이었다. 인도에서 만난 친구들과 이웃들은 우리 가족에게 큰 힘이 되었고, 소중한 인연들이었다. 그들의 따뜻함 덕분에 오래도록 인도에서 함께 지내고 싶었다. 그래서 우리 가족은 한국으로 복귀 직전까지 의도적으로 타지마할에 가지 않았다. "타지마할에 가지 않으면 다시 인도에 오게 된다."라는 소문이 우리 가족에게도 현실이 되기를 바라면서 말이다.

2024년 2월, 남편이 다시 인도 주재원으로 발령받았다. 이는 오랫동안 기다려온 소식이었다. 한국에 있었다면 매우 기쁜 소식이었겠지만, 당시 우리 가족은 슬로바키아에서 두 번째 주재원 생활 중이었다. 아이들은 현지 학교에 잘 적응해 있었고, 나 역시 그곳 생활이 익숙해져 있었기에 인도로의 갑작스러운 발령 소식은 당황스러웠다. 그러나 그토록 돌아가고 싶었던 인도가 아니던가. 우리 가족에게 참으로 감사했던 나라, 인도. 주재원들 사이의 소문이 우리 가족에게도 현실이 되었다. 다시 한 번 찾아온 인도에서의 삶이 기대와 설렘으로 가득 찬 새로운 출발이 되기를 바라며, 앞으로도 우리 가족에게 감사하고 소중한 경험을 안겨주기를 희망한다.

26

밤을 걷는 뉴요커

심혜란 (미국/뉴저지)

지방에서 디자인을 전공한 나는 디자인의 불편한 진실을 알고 싶어 디자인 전문 법률 회사에 취업했다. 디자인 전문 변리사를 준비하던 2006년 어느 날 문득 '미국에 가야겠다'라는 생각이 들었고, 2007년 4월 뉴욕행 비행기에 올랐다. 졸업 후모은 돈으로 연수 비용과 비행기 표를 지불하고 남은 100만 원이 내가 가진 전부였다. 2년 정도 어학연수를 하고 돌아갈 생각이었지만, 16년째 미국에 살고 있다.

뉴욕에 온 지 몇 달 지나지 않아 서브프라임 모기지 사태가 터졌고, 환율은 1,500원을 넘어섰다. 경제 악화로 많은 사람들이 해고되었고, 유학생들은 학업을 중단하고 집으로 돌아갔다. 그때 생활비를 벌기 위해 디자인 일을 하고 있었는데, 이런 상황이 오히려 나에게는 취업비자를 쉽게 취득할 기회가 되었다. 치열한 경쟁률을 자랑했던 비자가 그해에는 자리가 남아 돌아서 신청한 지 한 달 만에 비자를 받았다. 서브프라임 사태는 상류층에게 해당하였지, 나처럼 저임금 노동자에게는 영향이 없었다.

일은 즐거웠고, 하는 만큼 인정을 받을 수 있어 더 열심히 했다. 한국이었다면 주어지지 않았을 이 기회와 인정이 나를 미국에 계속 살게 한 것이다. 초반에는 타지 생활의 외로움이 몰려올 때가 있었는데, 그럴 때면 뉴욕의 거리를 정처 없이 걸었다.

한 번은 친구들과 클럽에 갔다가, 그 시끄럽고 사람이 많은 상황 속에서 갑자기 외로움이 몰려왔다. 술 없이 춤만 추는 것을 좋아했던 터라 취한 것도 아니었다. 불현듯 허무함과 외로움이 몰려왔고, 나는 밖으로 나와 집으로 걷기 시작했다. 클럽이 브로드웨이 41번가에 있었고, 나는 퀸즈 아스토리아에 살고 있었다. 구글로 걸어서 1시간 반 정도의 거리를 새벽 2시가 넘은 시간에 걸었다. 언제나 바쁘고 북적거리던 뉴욕은 잠에 빠져 고요했다. 하이힐 소리가 좁은 빌딩 사이에 부딪혀 메아리치는 것을 들으며 퀸즈보로 브릿지 앞에 도달했다.

갑자기 친구들이 걱정할 것이 떠올랐다. 지갑도 전화기도 아무것도 없이 여기까지 걸어온 것이다. 연락할 방법이 없어서 그냥 집까지 걷기로 했다. 어쩌다 마주친 술 취한 사람이 그날은 하나도 무섭지 않았다. 아마 그들 눈에는 내가 더 무서워 보였을 것이다. 그 당시 유행한 클럽용 스모키(검고 짙은) 메이크업을 하고, 헝클어진 머리에 반쯤 벗은 복장을 한 여자가 한밤중에 무표정으로 앞만 보며 걸어가는 모습을 상상해 보라. 되려 길에 앉아 있는 노숙자가 나에게 "Are you okay?"라며 물었다. 나는 "No problem." 짧게 대답하고 계속 앞으로 걸었다. 경찰이 다가와 도움이 필요한지 묻지만, 나는 괜찮다며 밝게 웃으며 인사했다. 그러고는 다시 웃음기 사라진 얼굴로 걸어 여기까지 왔다. 다리를 건너기 위한 첫발을 내디뎠다.

옆으로 지나가는 차들의 그림자와 내 그림자가 뒤섞여 요란하게 춤을 춘다. 자동차 바퀴가 다리의 이음새를 지날 때마다 나는 '덜컹' 소리와 내 하이힐의 '또각또각' 소리가 클럽의 비트가 되고 소음은 이내 음악이 된다. 나는 춤을 추듯 휘청거리며 다리를 올랐다. 아치형 다리의 가장 높은 곳에 올랐을 때, 사방에 트인 도시 속에 홀로 서 있는 나를 발견했다. 피부 닿은 밝은 달빛은 따뜻했고 스치는 바람은 부드러웠다. 무릎을 굽혀 몸을 웅크리고 앉아 달빛을 느끼고 있을 때, 멀리서 누군가 걸어오는 소리가 들렸다. 그 낯선 사람은 나에게 따뜻한 목소리로 묻는다. "Are you okay?" "Oh, yes, I am okay. Thanks." "Are you sure?" "Yes, I am pretty sure. Don't worry." 보통은 두려워야 할 상황에 나는 평온했고 두려움은 없었다.

새벽녘 하늘색이 어둠과 푸름의 중간쯤 되었을 때 집에 도착했다. 다음 날 컴퓨터 메신저로 연락이 된 친구가 가방과 핸드폰을 가져다주고 긴 잔소리를 들어야 했지만, 나는 평온했다. 그 밤 외로움은 따뜻하고 포근한 기억으로 바뀌어 타지 생활의 외로움이 느껴질 때 힘이 되어주었다. 혼자라고 느껴질 때 내가 너와 함께 있다고 뉴욕의 밤이 나에게 말해주었다.

27

준비된 만남

아리아 (일본/도쿄)

대한민국 부산에서 태어나 현재는 일본 도쿄시에서 살짝 벗어난 히바리가오카에서 남편과 딸과 함께 살고 있다. 미대 서양화과를 졸업하고 아이들을 가르치면서, 두 번의 개인전을 마지막으로 일본으로 유학을 왔다.

원예조경과에 다시 도전하여 식물과 공간디자인, 옥상녹화, 벽면녹화 유지관리 감독으로 현장에서 뛰다가 지금은 쉬고 있다. 시조 짹짹이로 MKYU 대학에서 나를 되돌아보는 시간, 디지털세계 등에 눈을 뜨게 되었다.

"나의 영혼아 잠잠히 하나님만 바라라 무릇 나의 소망이 그로부터 나오는도다.(시편 62:5)"처럼 새로운 소망을 찾아가는 중이다

첫 번째 만남_전환점

월요일, 무거운 맘을 들고 미술학원으로 향한다.

자! 오늘은 버드나무와 송충이를 그려볼까? 멀뚱멀뚱 날 바라보는 아이들, 어떻게 생겼어요?

쇼크! 버드나무와 송충이를 본 적이 없다니…. 그렇다. 공원도 적고, 요즘 아이들은 바쁘다. 학원 릴레이에 버드나무 그늘 밑의 시원함과 송충이는 볼 수 없었겠다. 안쓰러웠다.

1994년 여름, 일주일을 버텨내고 소파에 누워서 보는 TV는 스트레스를 푸는 낙이 되었다. 마침, 일본의 히비야카단이라는 회사에 대한 다큐멘터리가 시선을 사로잡았다.

'일본은 꽤 정원과 공원이 많구나….', '옥상에도 벽면에도 식물을 가꾸고 키울 수 있구나…'. TV를 켤 때마다 일본의 원예에 관련 내용과 마주친다. 우연일까.

녹화 디자이너가 되어 꿈나무들에게 멋진 녹지를 경험하게 하자는 거창한 꿈을 품어본다. 그렇게 미련도 없이 미술학원을 정리하고 36세에 일본으로 유학. 가족, 친구, 삶의 터전이었던 곳과 떨어져 오로지 나만을 바라볼 수밖에 없는 시공간, 끊임없이 나와의 싸움이 있는 타국살이었다. 일본인의 강한 배려심과 감정표현의 한계는 좀 적응하기에 어려움이 있다. 이즈음 대학 동기의 전도로 교회에 첫발을 내딛게 되었다. 늘 해결되지 않았던 '나'라는 존재에 대한 의문점은 꼬리표처럼 따라다니고 건드리기라도 하면 나의 감정은 금방이라도 깨질 것 같은 유리잔이 되어버렸다. 그때마다 주일예배는 뜨거운 눈물이 봇물 터지듯 흘렀다. 내 설움인가 보다 싶었다.

어느 날, 사무치게 외롭고 망망대해에 서 있듯 무서운 밤, 미래에 대한 불안감이 순식간에 밀려와 나를 삼켜버렸다. 이불을 뒤집어쓰고 목이 찢어 지라 통곡할 때 불현듯 스쳐 간 목소리, 환청인가 아니, 난 정확하게 들었다.

'두려워 말라 내가 너와 함께하겠다.' (이사야 4장 10절 말씀)

그 목소리는 폭풍전야와 같은 나의 감정을 순식간에 잠식시켜 버렸다. 처음 경험하는 평안이었다. 주님과 만난 이후 육체와 마음의 힘듦은 이 또한 지나가리라…. 하루하루 기쁨과 감사로 여러 고비를 넘기며 졸업, 연수 과정을 거쳐 일본 중소기업에 취직하게 되었다. 그렇게 인격적으로 예수님을 만났다.

두 번째 만남_준비해 두신 만남

사이타마 조경학교의 시골 생활은 점차 적응해 갔다. 한국인 유학생 중에 현재의 남편과 만날 줄이야 꿈에도 몰랐다, 그때는.

그는 누나를 잘 챙겨주는 동생이자 1년 차 선배였다. 타국살이는 주위의 시선과 낯선 시선도 흐릿해지는 묘미가 있나 보다. 용기도 생기나 보다. 8살 연상 연하는 그렇게 커플이 되어갔다. 졸업을 앞둔 우리는 여러 가지로 생각이 많아졌다. 드라마에서나 볼 수 있는 연애, 끝과 또 다른 시작이 가능할까….

그에게 옛 연인이 나타났다. 그리고 우린 헤어졌다. 아팠지만 잡을 수 없는 내 위치였기에. 다시 나만을 바라보는 생활로, 동경으로, 직장생활이 전부가 되어갔다.

그리고, 3년 후…. 유학 동창들과 만나게 되고 재회. 더 적극적인 프러포즈였지만 그럴수록 아니라고 고수하는 나, 넘겨 짚은 누나들의 반대 시위가 오히려 역효과로 내 마음이 조금씩 열리게 되어 우리는 동일본 대지진이 일어난 해 2011년 3월 19일 결혼을 했다.

세 번째 만남_새 생명과의 만남

양수가 터지는 바람에 예정일보다 일주일 앞당겨 병원에 입원하게 되었다. 노산이지만 아무쪼록 자연분만과 짧은 시간의 진통을 기도했다. 시간의 경과에 비해 변화는 없고, 간호사는 노산이니 제왕절개를 추천해, 그렇게 하기로 결정했다. 남편이 막 김해 공항에 도착하여 오는 중이라는 연락을 받고, 사뭇 다른 진통, 자궁문이 열리기 시작했다. 그리고 탯줄을 아빠가 끊을 수 있게 아슬아슬하게 시간을 맞춰준 딸은 5월 1일 저녁 7시, 한 마리 작은 비둘기가 후드득 날아오르듯 우리 품에 안겼다.

자연분만과 남편의 참관, 5월 5일이 아니길, 나의 간절한 세가지 기도 제목을 하나님은 한 치의 오차도 없이 다 들어주셨다. 일본! 1% 내외의 크리스천이 있는 나라에서 주님은 나를 만나 주셨고, 반쪽을 만나게 하시고, 소중한 생명을 만날 수 있게 인도해 주셨다. 하나님께 감사의 마음을, 이 책을 통해 전하고 싶다.

28

카라의 교훈

안젤라 (뉴질랜드/오클랜드)

하늘이 낮고 구름이 많다[길고 흰 구름의 나라]고 불리는 공기 좋고 물 좋은 뉴질
랜드에서 아침저녁 찬란한 하늘빛에 감탄하며 10년이 지나도 강산이 변하지 않
는 심심함을 즐기며 일상을 사는 두 아들의 엄마이자 책임감 강한 든든한 남편의
아내이다. 12년 전 초등학생 아이들이 더 크기 전에 영어라는 산을 자연스럽게 넘
게 해 주고 싶어 이민을 왔다. 두 아들 모두 대학에 진학하면서 시간이 많아진 요즘
을 나는 인생의 후반전을 준비하는 '하프타임=작전시간'이라고 생각한다. 선반선
을 제대로 되돌아보며 더 멋진 후반전을 준비하고 있다.

내가 살고 있는 뉴질랜드의 제일 큰 도시 오클랜드는 겨울에도 기온이 영하로 잘 내려가지 않는 온화한 기후로 사람도 식물도 모두가 살기 좋은 곳이다. 겨울에 얼어 죽을 일이 없어서일까, 이곳의 식물들은 잎도 크고 키도 크다.

5년 전 이사 와 살고 있는 지금의 집은 뒤뜰에 과실수도 여럿 있고, 조그만 텃밭도 가꿀 수 있어 깻잎도 심고 고추도 기르며 나름 도시 농부의 흉내를 내볼 수 있는 고마운 집이다. 텃밭이 놀이터인 나는 가끔 잡초도 뽑아주고 벌레도 잡아주지만, 잡초의 강인한 생명력은 늘 게으른 나를 앞지른다. 어느새 취미가 되어버린 잡초 뽑기 도중 그 녀석을 만난 건 3년 전 봄이었다.

큰 나무 옆 울타리 밑이어서 그랬을까? 나는 녀석의 키가 내 무릎 이상 올라올 때까지 그 존재를 알지 못했다. 벌써 줄기가 엄지손가락보다 굵게 자라 버린 녀석을 두 손으로 맞잡아 힘껏 당겨 보았지만 줄기만 뜯겼을 뿐 뿌리는 미동조차 하지 않았다. 오히려 몇 주 후엔 더 푸릇한 이파리가 보란 듯이 쑥쑥 올라왔다. 하는 짓을 보아하니 이대로 두었다간 단단히 자리를 잡을 기세다. 이후에도 두세 번 더 허탕을 친 후에야 나는 좀 더 확실한 방법을 찾게 되었다. '오늘은 반드시 녀석의 뿌리를 뽑아야겠어.' 얼마 전 한인 마트에서 사 들고 온 호미를 들고 옴팡지게 땅을 파헤쳤다. 뚝 뚜두둑 뚝. 파헤쳐 나오는 녀석의 뿌리는 여느 식물들과는 다르게 생강처럼 생긴 두툼한 알뿌리였다. 뿌리가 엉킨 실타래처럼 옆으로 또는 밑으로 길게 자라 있어 당기면 중간이 뚝뚝 끊길 뿐 전체 뿌리를 제거한다는 게 생각처럼 쉽지 않다. 한참을 씨름하다 땅파기를 그만두었다. 울타리 밑이 엉망이 되었고 더 파헤치면 울타리가 상할 위험도 있었기 때문이다.

녀석의 뿌리가 얼마나 깊이 얽혀 있는지를 보았던 나는 그 후로는 올라오는 잎사귀조차 뜯지 않았다. 어차피 또 올라올 녀석이니까…. 그렇게 한두 계절이 지나고 선선한 가을바람이 시작될 무렵, 나는 보게 되었다! 녀석이 피운 꽃을. 토란 같이 넓적한 이파리에 턱을 얹고는 보란 듯이 고개를 들고 있던 녀석을. 길게 늘어 뺀 목이며 바짝 들고 있는 하얀 얼굴이며 잡초라고 하기엔 너무나 귀티가 난다. 굵은 꽃대 위로 주먹만 한 꽃 한 송이가 순백의 웨딩드레스처럼 우아하게 하나의 꽃잎에 감싸안겨 있는 모습이 신부처럼 아름답다.

하! 저 잡초가 '카라'라니!
오래 전 보았던 잡지 속 식물이 생각났다. 목이 긴 꽃병에 딱 한 송이만 꽂혀 있던 도도한 모습! 도자기같이 단단한 하얀 빛으로 아우라를 내뿜는 모습에서 카라의 꽃말처럼 '순결', '순수'가 느껴졌다.

머릿속에 벌 한 마리가 들어온 듯 윙 윙 소리가 났다. 내가 참 예뻐한 꽃인데, 내가 참 멋있다고 생각한 꽃인데, 그 꽃이 피기 전까지 나는 너를 고집 센 잡초로만 알았구나. 나는 네가 다른 풀들보다 크고 넓적하다는 이유로 미운 오리 새끼처럼, 제대로 꽃도 피우지 못하게 그렇게 구박하며 뜯고 파헤쳤구나. 그 모진 구박을 다 받으며, 뿌리가 잘려 나가는 아픔을 견디며 다시 새잎을 내고 꽃을 피운 너의 노력에 박수를 보낸다.

'미안해', '예쁘다'를 연발하며 들여다보고 또 들여다보면서 나는 반성했다. 겉모습만으로 상대를 잡초 취급하며, 내심 뜯고 파헤치고 구박하던 나의 경솔함을. 상대의 개성이 강할수록, 고집이 셀수록, 건방지다 속으로 욕하며 거리를 두던 나의 편협함을. 그 꽃이 피기 전까지는 모르는 거다. 그가 얼마나 아름다운 존재인지. 그가 얼마나 멋진 존재인지.

스스로도 정체를 알지 못한 채, 수많은 날을 홀로 외로워했을 이 땅의 많은 미운 오리 새끼들에게, 카라 같은 사람들에게, "미안하다.", "예쁘다." 말해주고 싶다.

29

메이커의 시간

알케미걸 (홍콩)
지구와 인류의 해피엔딩을 믿는 사람. 90년대 초반에 시작한 해외살이를 이어갈 계획이다. 외국 항공사에서 승무원으로 일했다. 피폐해진 자신을 스스로 돕기 위해 라이프 코칭과 생채식 셰프 과정을 수료했다. 현재 <Weekly HK>에 칼럼을 연재하며 몸과 마음에 이로운 생각을 나누고 있다. 장래 희망은 삶의 보는 고비에서 희망과 기적을 보며 웰다잉 Well-Dying에 이르는 사람이다.

"우와, 외국에 사세요? 너무 부럽네요!"

그런 시절이었다. 바다 건너 어디에 산다고 하면 선망의 탄성이 되돌아왔다. 인터넷으로 지구촌이 하나 되기 전이었다. 오프라 윈프리가 와인을 홀짝이며 파스타를 휘젓는 주방까지 들여다볼 수 있게 된 지금은 달라졌다. 대를 물려서라도 해외 이주의 꿈을 이루고야 말겠다는 사람을 만난 지도 오래다.

글로벌 팬데믹으로 국경을 초월한 고초를 겪어서인지도 모른다. 어디에 사느냐보다 어떻게 사느냐가 더 중요해졌다. 어디에 살든 후회 없이 사는 노하우를 궁리하고 나의 기준에 맞춰 살려는 이들을 전보다 자주 접하게 되었다.

오! 장국영

"For so many times I let you down, so many times I made you cry, never meant to be that way I only want to say, send my love to you."
비를 쫄딱 맞고 < To You>를 부르던 초콜릿 CF 속 장국영이 시작이었다. 성룡, 홍금보, 아니면 강시 선생 부류의 코믹 무술영화에 무심하던 나에게 홍콩이 설렘으로 다가왔다. 진로를 고민할 새도 없이 직장에서 홍콩지사와 협업하는 일을 맡게 되었다. 이후 홍콩 거주인으로 살아야 할 항공사에 합격하는 바람에 이민 가방을 싸는 일이 벌어졌다.

"점보 레스토랑 가 봤어요?", "카이탁 공항은 비행기가 빌딩 사이를 날아서 착륙한다면서요?", "홍콩은 정말 시내 한복판에 에스컬레이터가 있나요?", "영웅본색처럼 총도 막 쏘고 그래요? 안 위험해요?"
기내에서 마주친 한국 승객들은 스마트폰 시대 이전 인류다운 호기심
으로 물었다. 이 막대한 양의 전력이 어찌 공급되는 건지 놀라울 정도
로 눈부신 불야성. 찬란함에 매료된 사람들이 세계 도처에서 모여드
는 곳. 번쩍임에 눈이 멀고 길까지 잃을 위험이 도사린 천국이 홍콩이
었다.

굿바이, 장국영

"그거 알아? 장국영이 투신했어.", "어머, 장국영이 그렇게 떠나서 어
쩌니. 소식 들었나 궁금해서 전화해 봤어.", "장국영이 저렇게 죽다니,
뉴스를 보고도 못 믿겠는걸." 이게 뭐지 싶은 이상한 날이었다. 아무
리 만우절이라도 그렇지, 이삿짐 푸느라 한 끼도 못 먹고 먼지로 배를
채우는 마당에 돌아가며 전화해서 겨우 한다는 게 이런 거짓말이라
니! 솟구친 짜증보다 몇 배는 더 어처구니없었지만, 나중에 알고 보니
결국, 사실이었다.

매년 만우절쯤이면 곳곳에 장국영 포스터가 걸리고 라디오 DJ는 그
의 노래를 들려준다. 올해도 침사추이 옷 가게 스피커에서 흘러나오
는 귀에 익은 목소리에 가던 길을 멈추었다. 빅토리아 하버를 배경으
로 언젠가 콘서트에서 본 얼굴이 둥실 떠올랐다.

"Oh, it's time to dream, a thousand dreams of you…."

장국영이 기억하는 홍콩은 세월의 저편으로 흘러갔다. 연일 축제 무드로 들썩이던 환상의 여행지는 리즈 시절과 다른 평을 듣기 시작했다. 망할 일만 남은 거 아니냐, 노후를 보내기 안전하겠냐는 걱정의 말들. 기대에 부풀어 찾아왔다 실망하고 돌아간 블로거들의 포스팅. 쇼핑, 금융, 관광 메카의 내리막을 전하는 다큐와 뉴스. 정부 규제 이후 12만 개에 달하던 홍콩의 상징 네온 간판이 5백 개 정도만 남았다고 했다. 그런 탓에 어둑한 거리만 부쩍 늘었다는 기사를 접하니 그간의 불만과 우려가 이해되었다.

한때, 하이힐을 신고 도심의 계단을 두 개씩 오르던 내가 있었다. 탱탱하고 팔팔하던 때가 있었다. 핫플레이스, 힙피플, 네온의 현란이 희미해진 도시의 혼란 속에 나는 홀로 서는 법을 배우고 있다. 느닷없는 이별 뒤에 용감하게 황혼을 맞이할 채비를 한다. 아기 걸음마처럼 서툴고 외줄 타는 곡예처럼 위태로운 날들. 내 삶의 우선순위에 무심한 바깥세상이 가리키는 대로 분주했던 팔로워의 시선을 거둔다. 내 안에서 희망과 빛을 발견하는 메이커의 시선으로 비긴 어게인! 새로운 삶에 눈뜰 시간이 내게로 왔다.

30

기분 좋은 개인주의

야시 (일본/카나가와)

어릴 적부터 일본에 사는 이모 덕분에 접할 기회가 많았던 일본은 나에게 멀지 않은 나라였다. 그래도 한일 경기를 볼 때 한국 선수를 잘 몰라서 일본 선수를 응원한다는 이모의 말에 펄쩍 뛰던 내가 일본에 살게 될 줄이야…유학 시절, 일본인 남자친구가 생겨 졸업과 동시에 결혼을 했고, 현재 일본에서 내 편인 남편과 아들딸이 함께 살고 있다. 한국계 IT회사에서 일하고 있지만, 나도 이모처럼 15년 넘게 일본에서 살면서 일본에 대해 알아가는 만큼 한국에 내해 아는 겻이 줄어들고 있다. 그래도 나의 고향은 한국 부산!

15년 전 일본인 남편과 결혼 준비를 할 때, 시어머니는 우리 결혼에 전혀 관여하지 않았다. 결혼식을 어느 나라에서 할지, 결혼식장과 날짜, 결혼 후 거처까지 남편과 내가 정했고, 시어머니는 아무런 반대도 의견도 내지 않았다. 한국은 예물, 패물, 집 등 많은 것을 가족과 함께 정하지 않나…? 걱정스러운 마음에 남편에게 우리끼리 정해도 되는 거냐고 몇 번이고 물었다. 남편은 우리 결혼인데 왜 다른 사람에게 물어보냐고 상관없지 않냐는 답변에 결국 주변 상의 없이 대부분을 둘이서 정했다. 결혼식장은 한국…. 날짜는 대학 졸업 후 회사 입사하기 전…. 거처는 나의 입사 예정 회사와 가까운 오사카로…. (시댁은 도쿄이다) 결과적으로 남편 여동생의 출산 예정일과 우리의 결혼식 날짜가 가까워 그녀는 결혼식에 오지 못했다. 당시에는 시어머니와 남편 사이가 나쁜가 싶었지만, 지금 돌아보면 우리에게 부담을 주지 않으려는 배려였음을 알게 되었다. 그리고 일본의 개인주의. 나는 나 너는 너 이니까….

일본인 남편은 자녀가 말을 알아듣기 시작한 무렵부터 "메이와쿠 카케나이.(민폐 끼치지 마)"라는 말을 입에 달고 산다. 지하철 안에서는 절대 떠들지 않도록, 음식점에서도 주변에 방해가 되지 않도록 계속해서 주의를 준다. 공공장소에서의 이러한 배려는 필요하지… 그러나 가끔은 집에서도 "부모에게 민폐 끼치지 마."라는 말을 한다. 일본은 가족끼리도 민폐를 끼치면 안 되나? 너무하지 않나? 아마 집에서도 밖에서도 다른 개인의 자유와 권리를 지켜주기 위한 일본인의 교육 스타일인 것 같다.

타인의 자유를 지켜주기 위한 일본인의 언행은 "스미마셍.(죄송합니다.)"에서도 느끼게 된다. 다른 사람에게 피해를 주거나 피해를 받는 것을 극도로 꺼리기에 길에서 살짝만 부딪혀도 "스미마셍"을 연발한다. 어쩔 땐 부딪히지도 않았는데 "스미마셍"이란다. 지하철에서는 옆 사람에게 피해를 주지 않기 위해 신문을 A4 사이즈 정도로 작게 접어서 읽고, 백팩도 부딪히지 않으려고 앞으로 맨다. 이건 과연 개인주의 일본인의 무관심일까? 아니면 관심일까?

내가 임산부였을 때 임산부 마크를 가방에 달고 있지만 간혹 자리 양보를 받지 못하는 경우가 있었다. 그럴 때면 옆에 서 있는 모르는 아저씨, 아줌마가 내 앞에 앉아 있는 사람에게 자리를 양보해 줄 수 있냐고 물어주는 경우가 많이 있었다. 다른 사람에게 피해를 주지 않으려 그렇게 노력하는 일본인이 임산부인 나를 위해 모르는 사람에게 대신 양해를 구한다고! 그럴 때마다 무관심한 듯한 일본인의 숨겨진 관심에 감동했다.

이런 일본인의 관심 형태는 한국과는 조금 다른 것 같다. 5년 전쯤 애들과 함께 한국에 갔을 때, 지하철에서 모르는 할머니가 갑자기 검은 봉투에 가지고 있던 바나나를 꺼내 껍질을 까서 애들에게 먹으라고 주신 일이 있었다. 일본 생활에 익숙해져 있던 탓에 조금은 부담스러웠다. 생각해 보면 내가 어렸을 때도 모르는 어른들에게 사탕이나 과자를 빌기도 하고, 용돈을 받았던 기억도 있다. 역시 한국은 적극적인 관심! 그리고 정이 넘치는 곳이구나 하는 생각을 했다.

일본인들에 대해 흔히 개인주의라고들 말한다. 개인주의라면 보통은 나쁘게 생각하기도 한다. 물론 일본은 한국처럼 끈끈하고 따뜻한 정이 넘치는 곳은 아니지만, 개인주의로 적당한 거리를 유지하며 편하게 지낼 수 있는 나라이다. 그리고 일본인의 개인주의 속에는 숨겨진 배려와 무관심 속의 관심이 있다.

31

일본에서
'외국인'으로 사는 것

에리노 (일본/카나가와)

일본 대학에서 법학을 가르치고 있지만, 어릴 때부터 외국에 관심이 많아 외국어 공부를 좋아한다. 프랑스에 유학한 경험이 있다. 현재 구사할 수 있는 7개 국어 중 우연히 시작한 한국어에 빠져 새로운 공부 방법을 모색하던 2021년에 mkyu를 만나게 되었다. 하고자 하는 일은 모두 이룰 수 있다는 뜻인 프랑스 속담 "Vouloir, c'est pouvoir."를 좌우명으로 새로운 도전을 계속한다. 2023년 초부터 배우기 시작한 색소폰을 계기로 음악에 관심도 높아졌다. 인생은 상상할 수 없는 일이 낳이 생기니 즐겁다고 늘 느낀다.

일본인이라는 내가 일본에서 산다. 아주 흔한 일이다. 하지만 나는 일본에서 외국인으로 산다고 느낌이 자주 든다. 왜냐하면 내가 다양한 한국 온라인 커뮤니티에 가입해 한국인 친구들과 함께 활동하기 때문이다. 왜 그런 생활이 가능할까? 모든 것은 내가 2021년 mkyu에 입학했을 일부터 시작했다. 입학한 이유는 스피치 마스터 클래스(스마클)를 수강하고 싶었기 때문이었다. 나는 일본 대학에서 법을 가르치고 있지만 말을 잘하는 편이 아니었다. 그러므로 스피치를 더 잘하기 위해 스피치의 기본을 배우고 싶었기 때문이다.

그러면 왜 일본 강의를 선택하지 않았을까? 가장 큰 이유는 내가 김미경 학장님의 팬이기 때문이다. 몇 년 전에 한국어 선생님이 추천하신 세바시에서 학장님의 강의를 들어 학장님이 나의 한국어 롤모델이 되었다. 그때 학장님 스피치를 섀도잉하여 혼자서 연습도 해 봤지만, 너무 어려워서 중간에 포기했다. 그래서 유튜브 방송으로 이 강의가 시작된다는 소식을 들었을 때, 이 강의는 나에게 준비된 강의라고 느꼈다. 일본에서도 스피치를 배우는 강의가 있었지만 아주 비싸고, 또 내용상으로 내가 원하는 것이 아니었기에 mkyu의 강의를 선택했다.

스마클은 영상을 보며 혼자서 공부하는 방식이라고 생각했는데 옵션으로 조별 활동이 있었다. 그곳에서 만난 친구분들의 인스타를 보고 관심이 있는 커뮤니티에 나도 가입하면서 조금씩 한국 온라인 커뮤니티 생활을 즐기기 시작했다.

이런 활동들을 통해 나의 생활은 크게 달라졌다. 지금도 시나 글쓰기, 독서, 스피치, 중국어 등 다양한 온라인 커뮤니티에 정규적으로 참석해, 일본에서 대표적인 SNS인 라인보다 카톡으로 더 많이 소통하고 있다.

동시에 나의 마인드도 조금씩 달라졌다. 커뮤니티 활동을 시작했을 때는 "저는 일본 사람인데 가입할 수 있나요?"라고 조금 외계인 같은 마음으로 참석해 봤다. 다음 해는 다른 멤버들에게 일본인이라고 말하지 않고, 다른 분들이 나의 문자 메시지만을 봐서 외국인이라고 알 수 있을지 확인해 보기도 했다. 한국 커뮤니티에 온 외국인 손님이 아니라 한국 분과 같은 자격으로 활동하고 싶었기 때문이다. 그러므로 내가 일본 사람이라고 모르는 분도 커뮤니티 안에 계셨고 그 의미에서 나는 만족했지만 동시에 일본인이라는 내가 그 커뮤니티에 있는 의의에 대해서도 생각하기 시작했다.

2023년 후반부터 일주일에 한 번 한국 신문에 칼럼을 쓰기 시작했다. 올해 2024년 초부터 세바시 대학 스피치 전문과정을 수강해 5월에 세바시 무대에서 스피치를 했다. 이런 새로운 단계로 올라간 계기도 한국 온라인 커뮤니티 활동이었다. 새로운 만남이 더 새로운 만남을 불러일으킨 것이다. 2021년 mkyu 입학을 계기로 시작된 나의 '외국인' 생활이 이렇게까지 다양한 모습을 보여줄 줄 몰랐다.

나는 대학생 때 프랑스어를 배웠고 10년 정도 공부한 후, 프랑스에 2년 동안 유학을 했다. 유학한 뒤에도 프랑스어 공부를 계속했으니, 숫자만 보면 한국어보다 훨씬 긴 시간 공부를 했다. 반면 한국어는 공부하기 시작한 지 12년이지만 친구는 훨씬 많다. 한일 사이에는 슬픈 역사가 있지만 나를 따뜻하게 받아들인 친구분들이다. 그들에게 감사의 마음으로 쓴 시를 보내 주고 싶다. 김춘수 시인의 시, 꽃을 바탕으로 만든 시다. 원래 언어 학습의 즐거움에 관해 쓴 시이지만 나에게 언어 학습의 즐거움을 가르치신 분들은 바로 함께 커뮤니티 활동을 하는 한국 분들이기 때문이다.

내가 그 사람들을 알기 전에는
그들이 세상에 있는 것조차
나는 신경을 쓰지 않았다.

내가 그 사람들을 알게 되었을 때
그들은 나에게로 와서
친구가 되었다.

내가 그 사람들을 알게 된 것처럼
나의 이 마음과 향기에 맞는
누가 나를 찾았으면 좋겠다.

144

그에게로 가서 나도
그의 친구가 되고 싶다.

우리들은 모두
무엇이 되고 싶다.
너는 나에게 나는 너에게
서로 아끼고 사랑을 주고받는 존재가 되고 싶다.

32

끝없는 도전

연꽃향기 (알제리/알제)

나는 세계를 무대로 활약하는 요리사다. 20대 초반 요리 학원을 통해 한식, 중식, 일식, 양식 요리를 접하면서 요리에 대한 매력을 느꼈고, 꽃꽂이, 칵테일도 함께 배우며 요리와 관련한 플레이팅 부분까지 배우게 되었다. 원장님의 권유로 요리책 출간에 요리 원고 작성, 요리 사진 편집 등 전적으로도 참여했다. TV 방송과 여성지 요리 소개 코너에 원장님과 함께 참여했다. 원장님 추천으로 토론토 한국 총영사관 요리사를 시작으로 벨기에, 두바이, 아프가니스탄, 슬로바키아, 체코, 니카라과, 이란, 폴란드를 거쳐 알제리에서 요리사로 일하고 있다. 테니스와 승마도 열심히 하며 즐겁게 생활하고 있다.

요리사로서 해외살이는 끝없는 도전의 연속이다. 새로운 나라, 새로운 문화 그리고 새로운 언어는 나를 기다리고 있는 미지의 세계였다.

요리사로서 내 경력은 다양한 나라에서의 경험을 통해 쌓았다. 그리고 그중에서도 가장 기억에 남은 곳은 아프가니스탄이었다. 해외 조리사 모집 공고를 보고 지원을 하게 되었다. 얼마 후 새로운 근무지로 가기 위해 전쟁 중인 아프가니스탄 미군 기지에 도착했다. 공항에 경호원이 대기하고 있었다.

방탄모와 방탄조끼를 입고 경호 차량에 올랐다. 적의 공격을 피하고자 총알처럼 달려 차리카 기지에 도착했다. 산 중턱에 자리한 이곳은 전쟁과는 거리가 멀어 보였다. 저 멀리 높은 산에는 하얀 눈이 쌓여 있고 푸른 작은 마을 너머로 아름다운 자연 풍경이 펼쳐져 있었다. 아름답고 고요한 평화로운 마을로 보였다.

첫날, 아직 내 숙소가 없었다. 식당 동료와 며칠 같은 방을 쓰기로 했다. 짐가방을 들고 숙소로 향하는 길에 숙소 앞에 돌로 만든 작은 첨성대와 정자가 보였다. 한국 PRT 분들의 솜씨라고 했다. 저녁 식사 후 잠자리에 들었다. 쾅 소리가 바로 내 귀 옆에서 들렸다. 사이렌 소리가 울리고 나는 옷을 주섬주섬 입었다. 동료가 "뭐 하세요? 폭격을 맞은 것 같은데요." 그 언니가 말하기를, "그냥 주무세요. 여긴 숙소가 가장 안전해요."하는 것이다. 난 거의 뜬눈으로 새벽을 맞이했다. 새벽 출근길, 숙소 앞 첨성대 주변에 폭격을 맞아 파편이 흩어져 있었다.

나는 너무 놀라 "언니 어떡해요?" 언니가 말하기를, "뭘 어떻게 해? 우리는 그냥 아침 맛있게 만들면 돼요." 식당에 도착하니 전부 농담처럼 "유찬모 님 오셨다고 환영 인사 했네요." 했다. 항상 새로운 사람이 오면 그 푸른 작은 마을에서 포로 공격을 한다고 했다. 아무 일 없다는 듯이 아침 식사 준비를 마쳤다.

전쟁의 위험 속에서도 배추가 없을 때는 래디시로 김치를 담그고, 양고기로 육개장을 만들었다. 콩나물도 직접 길러야 했다. 물론 두부, 빵, 떡도 쌀을 직접 빻아서 떡을 만들었다. 한국 같으면 전화 한 통이면 해결되는 것을 여기에서는 처음부터 하나 하나 직접 만들어야 한다. 전쟁 속에서 근무한 그때가 가장 생각이 많이 난다.

"아프간에 평화를, 조국에 영광을."

33

호찌민에서 아침을

오똑코 (베트남/호찌민)

현재 베트남 호찌민 거주. 나이 49세에 연고도 없는 베트남에 병원 관련 일로 2019년 3월, 호찌민 입국 후 눌러앉게 됐다. 홀로 베트남 살기를 하며 겪은 일상들과 에피소드, 살아봐야 아는 골목 구석구석의 찐 이야기를 담아 글을 썼다. 50대 이후 노년에 대한 경제 활동과 무관하지 않기에 50세 영어 공부 도전. 영어 쌤이 되고 싶은 나는 '건물주가 못 된다면, 이세로 삭자' 라는 포부와 함께 글쓰기 시작했다.

티파니에서 아침을

영화 '티파니에서 아침을' 주인공 오드리 헵번은 검정 이브닝드레스, 틀어 올린 머리 위엔 티아라, 얼굴을 반이나 가린 검은 안경. 그녀는 티파니 보석상을 활보하며 흥미로운 눈빛으로 보석을 바라본다. 한 손에 빵을 들고, 우아한 몸짓으로 새벽 거리를 리드미컬하게 걸어가는 그녀. 아파트 비상계단에서 기타를 치며 'Moon River'를 흥얼거리는 오드리 헵번의 모습이 호찌민에서 아침을 여는 나에게 데자뷔처럼 일어나길 기대해 본다.

나는 오늘도 아이폰 알람에 깼다. 질끈 하나로 묶어 올린 머리, 밤새 잠을 설친 덕분에 다크서클이 턱까지 내려왔다. 한 손에 물컵과 유산균 한 알을 입안에 털어놓고 잠에서 덜 깬 몸짓으로 무겁게 체중계에 오른다. 책상 위 노트북에서 아파트 비상계단에서 기타를 치며 흥얼거리는 오드리 헵번의 'Moon River'가 흘러나온다. 이만하면 데자뷔 맞지?

나는 아침에 눈을 뜰 때 하는 행동이 있다. 침대 시트 위를 천사 날갯짓을 하듯 위아래로 내젓는다. 사락사락 시트 마찰 소리에 오늘 아침도 기분이 좋다. 나는 이렇게 호찌민에서 아침을 듣는다. 언제부터인지 모르겠다. 아침 지저귀는 새소리에 빠져 새소리 멍도 잘 때린다. 호찌민 푸미흥은 나무가 많은 편이다. 가로수 나무마다 꽃이 피는 모습에 홀릭 됐던 순간이 한두 번이 아니다. 한국 도로변 가로수는 꽃을 볼 수 없는 데 반해 여기 나무 사이에서 보이지도 않는 작은 새들의 소리는 가던 길을 멈추게 하고 나무 위로 시선을 모으기에 충분했다. 이관심은 유튜브 채널 '새 덕후'까지 구독하게 했다.

나의 호찌민 아침은 빨리 시작한다. 블라인드를 걷어 올리면 시작되는 공기 반 햇살 반, 비가 와도 좋다. 좋은 날이 많은 호찌민은 빨래 말리기에 딱 맞다. 나는 옥상에 빨래 널기를 즐긴다. 한국 도시에서는 더 이상 볼 수 없는 옥상 빨랫줄. 햇볕에 바짝 말려진 보송한 빨랫감이 빨랫줄에 걸려 팔랑거리는 모습은 내 어릴 적 우리 집 빨랫줄에 걸린 빨래들을 떠올리게 한다. 그 시절 햇살은 더 반짝임이 풍성하게 떠오르는 건 내 착각일까?

호찌민 저녁은 해가 지면 시작된다. 낮 동안 데워진 도로 위는 어느새 숨이 죽어 시원해진다. 이른 저녁부터 사람들은 걷거나 뛰기 위해 집 밖으로 나온다. 내가 겪은 호찌민은 열대야가 없다. 숨이 턱턱 막히는 무더위가 밤엔 없다. 한국은 한여름 밤이면 더위를 식히기 위해 한강 고수부지로 나온다. 시원한 캔맥주와 배달 치킨을 시키는 것을 사명으로 알고 더위와 함께 시작되는 사투가 눈에 그려진다.

"I am between jobs."
'나는 일 사이에 있다.' 즉, 일하지 않는 상태에 있다. 100일 동안 하지 않을 생각이다. 해외라는 특별한 상황이 아니고서는, 오롯이 100일을 일 없이 지낼 수 없을 것이다. 이 기간에 나를 만들기 위한 두 가지에 집중하고 있다. 첫 번째로 몸 근육 만들기 일명, 근육 강화 60일을 진행 중이다. 인터넷 카페 모임을 통해 70여 명의 회원들과 하고 있다. 매일 줌 Zoom으로 만나 운동하고 식단 인증과 카페에 올리는 수고를 통해 서로에게 응원과 독려를 아끼지 않는다. 두 번째로 글쓰기 작업을 통해 '공동 책 출판하기'에 도전 중이다. 6명의 작가님과 함께 작업 중이며 저마다의 필력으로 자신의 이야기를 써가고 있다. 지금 이 기간이 또 한 번 내 인생의 전환점이 되었으면 한다. 최근에 북 모임에서 <빠르게 실패하기 존 크럼볼츠, 라이언 바비노 지음>이라는 책으로 토론한 내용 중 일부를 발췌했다.

"성공 그리고 즐거움과 행복의 답을 우리는 '작은 행동'에서 찾았다."
"만약 삶을 변화시키고 싶다면 지금 당장 즐거움을 만끽할 작은 행동을 시작하라."
"작은 행동을 많이 해볼수록 더 만족스럽게 살 수 있다."
"미루지 말라, '미루기' 야 말로 꿈을 앗아가는 일등공신이다."
미루지 않고 작은 행동을 바로 행하는 삶으로 변화하고 싶다. 그 변화과정을 행복으로 느끼는 행복한 사람이 되고 싶다. 작은 성공들이 쌓여 행복으로 담겨 오면 매일 호찌민에서 아침을 맞는 나는 행복한 사람이다.

34

스시에서 김밥으로
제 이름을 찾다.

오은아트 (미국/버지니아)

유치원 교사로 일하던 시절, 한국을 방문한 미국 교포와 우연히 만나 어쩌다 보니 결혼을 하기 위해 이민을 왔다. 영어, 운전, 결혼, 시댁, 육아, 문화를 동시에 적응하며 시작한 해외살이. 어느새 21년 차가 되었고, 아들 둘과 남편, 고양이 세 마리와 버지니아에 살고 있다. 2020년 시작한 MKYU를 시작으로 미국 전역과 전 세계에 친구가 생겼다. 줌으로 다양한 북클럽과 취미생활을 하다가 이제는 '오은아트'로 도슨트에 도전한다.

"오~ 스시~ 우웩!"

큰 아이가 초등학교 때 처음 학교에 갔다가 들은 말이다. 같은 반 꼬마의 말과 표정이 아직도 잊히지 않는다.

이민 오자마자 한 달 만에 덜컥 임신한 나는 아이 나이만큼 미국 생활에 적응했다. 어느덧 큰 아이가 5살이 되어 초등학교에 킨더(Kinder) 입학하여 학부모가 되었다. 한 달의 학교 적응 기간이 끝난 뒤 나는 아이와 함께 점심을 먹기 위해 도시락을 준비해 학교에 갔다. 옹기종기 앉은 아이들 사이에서 내 도시락을 연 순간 너무 당황했다. 친숙하고 맛있는 김밥의 향이 미국 학교에는 강하고 낯선 '냄새'로 다가왔다. 앞에 앉은 여자아이가 우리 도시락을 빼꼼히 쳐다보더니 "Oh~ Sushi~~" 한다. 그러더니 "Wait a minute." 하고는 몸을 뒤로 돌려 "웩~." 한다. 놀라서 입을 떡 벌리고 있던 나에게 날라 온 말은 "Where are you from?" 이었다. 미국에 와서 참 많이 들었던 말인데, 그 아이의 표정과 말투는 인종차별적이라 기분이 상했다. 그때 옆에 있던 아들이 "I am from America! But my mom is from Korea!" 라고 말한다. 어리게만 생각했던 내 아이의 당당함에 놀라며 눈물이 핑 돌았다.

담임 선생님에게 상황을 설명하고 한식이 냄새가 난다면, 앞으로 미국 음식을 보내겠다고 말했다. 선생님은 전혀 그럴 필요 없고, 무슨 음식이든 아이가 좋아하는 것은 다 보내란다. 불평하는 아이가 있다면 그 아이를 다른 테이블로 옮기면 된다면서. 그리고 (귓속말로) "우리끼리 말이지만 한식은 냄새나는 축에도 안 들어요." 한다. 아마 그 아

154

이는 김밥을 처음 봐서 날생선이 들었다고 착각했을 거라며, 따로 설명하겠다는 말도 잊지 않는다. 나의 미국 학교 첫 방문기는 이렇게 강렬한 추억으로 남았다.

그 이후 나는 유인물 복사 등을 시작으로 매주 학교에 봉사를 나갔다. 음력 설, 추석엔 다른 엄마들과 한복을 입고 찾아가 반에서 파티도 열었다. 한국 음식, 전통 게임 등으로 한국문화를 소개하니 선생님들도 고마워하고, 즐거워하는 반 친구들을 보며 우리 아이들도 자랑스러워했다. 나에게 무례했던 그 애도 맛있게 한식을 먹더라!

한국에서 미국의 8학군이라고 알려진 버지니아 Fairfax는 한국인들이 무척 많은 편이다. 그럼에도 2000년대 초에는 "Where are you from?"이라는 질문에 한국이라고 하면 "North Korea? South Korea?"라고 되묻는 경우가 종종 있었다.

20년이 지난 지금, 미국에도 한국문화는 최고의 트렌드다. 싸이의 강남 스타일, BTS, 아기 상어 등의 빅히트를 필두로 K Pop, K drama, K Beauty, K Classic까지 인기다. 무엇보다 한국 음식의 위상은 하늘을 찌른다. 14년 전 그 꼬마뿐 아니라 많은 미국인이 스시라고 불렀던 김밥은 Trader Joe's에서 'Kim Bop'의 제 이름을 찾았다. 1인당 2개로 제한을 해도 늘 물량이 부족하다. 동네의 한국 음식점과 카페들엔 현지인들이 가득하다. 밖에서 한국어를 사용하면 미국인들이 다가와 "안녕하세요~"라고 아는 체하며, "I am a big fan of K-Drama!"라며 반가워한다. '오직 갖고 싶은 것은 높은 문화의 힘이다'라는 백범 김구 선생님의 소원은 이미 이루어졌다.

해외에 사니 내 나라의 국력과 문화의 위상에 민감해질 수밖에 없다. 미국에서 태어났어도 이민자의 아이들은 평생 Korean-American으로 살게 된다. 그래서 나는 아이들이 한국문화를 자랑스러워했으면 좋겠다는 마음에 난타를 소개했다. 두 아이 모두 너무 좋아해서 디딤새라는 팀으로 워싱턴 DC 지역에서 공연을 다니며 한국 문화를 알리고 있다.

20년 해외살이 경험 중 하나를 담는 이 글에 14년 전 그 꼬마와의 김밥 에피소드를 쓰다니! 내 문화에 대한 타인의 태도가 그만큼 중요하다. 그럼 나는 타인의 문화를 어떤 시선으로 바라 보고 있는지 돌아보게 된다. 설령 나에게 낯설고 불편한 다른 문화를 만나더라도 최소한 얕보지 않고 존중하는 태도를 가지자고 다짐한다.

35

특별한 방콕 전시회

오틸리아 (태국/방콕)

1998년 여름 큰아들을 군대에 보내고 나니 마음이 울적했다. 예고를 준비하던 중 3 짜리 막내딸과 함께 태국 방콕에 머리를 식힐 겸 오게 되었다. 그때 남편은 다니던 회사에서 퇴사하고 방콕에서 개인사업을 시작한 지 3년 정도 되던 해였다. 남편은 혼자 있는 것을 싫어해 서울로 회사를 옮기려 하던 때였다. 운명은 그렇게 시작되나 보다. 전혀 생각지 않은 막내딸의 국제 학교 선택으로 인해, 방콕에 살게 된 것이 25년여를 넘게 되었다.

태국 방콕은 나의 인생 지도에 있지 않던 전혀 생소한 곳이었다. 남편은 반도체 관련 일을 직업으로, 평생 한길만 걷고 사는 사람인데, 뜬금없이 방콕에 회사를 설립하고 딸까지 이곳에서 학교에 다니고 싶다고 한다. 그때만 해도 태국 하면 아는 게 전무해서 막연하게 뜨거운 햇살, 코끼리, 승려가 떠오르는 게 전부였다.

남편 역시 혼자 있는 3년을 거의 주말부부에 가깝게 살았다. 옷 세탁을 서울에서 해서 한 가방씩 들고 가서 입곤 했다. 남편은 그 시기를 본인 인생의 가장 어려웠던 시간으로 기억한다. 항공사에 기부를 많이 한 셈이다. 방콕은 세탁할 곳도 마땅치 않은 형편없는 나라로 생각했다. 물론 그게 아니라는 것은 내가 와서 살면서 금방 알게 되었다.

방콕에 살기로 하면서 난 개인적으로는 서울을 떠나오기에 많은 아쉬움이 있었다. 삼 남매 중 두 아이가 대학에 들어가 개인적으로 여유 있는 시간이 되었고 일생의 업으로 알고 선택한 서예와 동양화도 정식으로 데뷔하여, 안정적인 직장과 취미생활을 할 수 있는 때였다. 그럼에도 불구하고 딸의 간청으로 태국 방콕에 살게 되었다. 무려 25년여를 방콕에 살게 될 줄은 꿈에도 몰랐다.

바다를 건너오면서 현대 가옥에 어울리는 서예를 연구해야겠다고 생각했다. 그 역시 배우고 싶어하는 분들이 많아 서예 교실을 지금까지 20여 년 넘게 해 오고 있다. 인문학과 병행하여 수업하고 있는데 회원들의 만족도가 높아 잘했다는 자평이다.

2023년 12월부터 2024년 3월까지 4개월간 태국 방콕 한국 문화원에서 초청 전시회를 하게 되었다. 2020년에 이어 두 번째 초청 전시회였다. 첫 번째 전시회 제목은 '봄 소풍', 두 번째 전시회 제목은 '봄을 기다리며'였다. 전시회는 생각보다 품이 많이 들어가는 일이다. 작품은 기본이고 내가 하는 동양화나 서예 같은 경우 태국에서는 표구나 배접할 곳이 없어 서울에서 해와야 하는 불편함이 있다.

이번에도 대작(135×75) 30여 점, 연결 그림 병풍 2점, 서예 병풍 1점, 그리고 태국 사람들을 위한 태국의 꽃과 풍경 과일을 그린 그림 30여 점 등을 준비하였다. 리플릿을 제작하고 프레임을 그림에 맞게 선택하고, 2개 층에 알맞게 전시하는 일은 전문가를 불러서 해야 하는 일이다. 모든 게 완벽하다고 느낄 때 불편함이 적다. 다행히 문화원 직원들이 합심하여 일을 진행해서 한결 수월했다. 각종 매스컴에서 K-pop에 이어 K-art라고 소개하며 지면을 할애해 줄 때는 책임감을 느끼기도 했다.

특히 개막식 행사 때 대사님과 태국의 내빈들을 모시고 인사말을 할 때는 가슴이 뭉클하기도 했다. 전시회 중에는 전시회장에서 워크숍 행사를 했는데 일반인 한 그룹, 미술 전문가 한 그룹, 두 차례 진행했다. 긴 붓으로 그려 내고 써내는 예술의 세계를 외국인들에게 소개하는 일은 기쁨이 컸다. 집중하고 환호하는 모습을 보면서 한국인으로서 작으나마 기여를 한다는 생각에 가슴이 뿌듯했다. 한국 KBS 뉴스에도 인터뷰하는 모습과 함께 전시회가 소개되기도 했다.

우연히 파티 옆자리에 앉게 되어 사적인 인연을 맺게 된 주변 나라 왕비님의 전시회 방문은 전시회의 하이라이트였다. 전용 비행기를 타고 가족이 함께 전시회에 참석한 일은 영광중에 영광스러운 일이었다. 집에서 30여 명의 왕비님과 손님 일행을 접대한 일은 일생에 추억으로 남아있다. 감사의 보답으로 송학도 병풍 한 점이 왕실로 가게 되었다.

울고 왔다 울고 간다는 태국. 후진국이라 울고 왔다, 살아보니 너무 좋아서 울고 간다는 태국. 세계여행 어디를 가도 방콕 만한 도시가 없는 것 같다. 인심 좋고, 음식이 풍성한, 따뜻한 방콕이 좋아 난 이곳에 산다. 따뜻한 이웃들과 좋은 음식과, 문화를 나누고 사랑을 나누며 살고 있다. 내 제2의 고향이다.

36

———

애벌레에서
자유로운 나비가 되었다.

은지도쿄 (일본 /도쿄)

20살 때 처음으로 간 해외 일본에서 헝그리 정신으로 열심히 살다 보니 자유로운 나비가 되었다. 처음에는 아는 사람도 없고 일본어도 못하고 돈도 없이 혼자서 무작정 시작. 차별도 당하고 힘든 시간도 많이 있었지만, 1년 반의 일본 생활에서 유창한 일본어와 많은 일본 친구 그리고 내 인생 처음으로 돈을 모아 혼자서도 뭐든지 해낼 수 있다는 자신감을 얻었다. 지금은 프리랜서로서 프라이빗 투어가이드, 한국어 선생님 필라테스 강사 3가지 직업을 가지고 정신적, 신체적, 경제석 자유를 누리며 생활하고 있다.

애벌레의 삶

나는 5살 때 부모님이 이혼해 아빠랑 둘이 항상 바퀴벌레가 바글바글한 반지하에서 살았다. 아빠는 나를 위해 열심히 밤낮으로 택시 일을 하셨지만 나는 그것도 모르고 혼자 있는 외로움이 싫어 결국 불량한 길을 선택해서 해야 할 공부는 안 하고 아빠를 많이 걱정시켰다. 그때 당시의 나는 계획도 생각도 없이 하루하루를 살아가는 시야가 좁은 애벌레였다.

나비가 되려고 몸부림친 누에고치의 삶

그런 내가 20살 때 혼자서 무작정 일본에서 생활하기 시작했다. 일본어도 못하고 친구도 없고 돈도 없는 일본 생활은 정말이지 너무 힘들었다. 오전에는 어학교에 다니고 밤에는 새벽까지 아르바이트했다. 단지 한국인이라는 이유로 차별도 당하고 말이 안 통하는 일본에서 힘든 시간을 견디기 힘들어 엉엉 운 적도 많았지만, 신기하게도 한국에 돌아가고 싶다는 생각은 별로 들지 않았다. 태어나서 처음으로 나 스스로 뭔가를 하는 나 자신이 오히려 자랑스러웠다.

1년 반의 일본 생활을 끝내고 한국에 들어가 정착하려고 했지만 나는 몇 번이나 면접에 떨어져 현실의 쓴맛을 봐야 했다. 자신감이 바닥으로 떨어졌을 때 난 점쟁이를 찾아갔고 점쟁이는 나에게 다시 일본에 가라고 했다. 불량한 어린 시절을 보냈던 나는 25살에 태어나서 처음으로 죽기 살기로 공부했다. 그리고 난 운이 좋게 공부한 지 4개월 만에 일본 도쿄에 있는 메이지 대학에 합격했다. 그때의 그 순간 느꼈던 기쁨은 지금까지 내 인생에 있어서 중요한 전환점으로 생생하게 기억이 난다.

자유로운 나비의 삶

그렇게 가고 싶던 명문 대학에 입학은 했지만 4년간 낼 학비도 없었고 내가 뭘 하고 싶은지 그때 당시에도 확실하지 않았다. 20대의 목표는 이왕 이렇게 일본에 다시 왔으니 일단 졸업을 하자였고 학비를 벌기 위해 대학교에 다니면서 밤 10시부터 아침 7시까지 공항에서 아르바이트했다. 아르바이트하면서 쓰러진 적도 있고 2011년에는 큰 쓰나미가 와서 지진으로 죽을 수도 있겠다는 생각을 한 적도 있다. 그래도 난 결국 끝까지 일본에 남아 나 스스로 4년 치의 학비를 마련했고 30살이라는 늦은 나이었지만 좋은 성적으로 졸업도 했다.

졸업을 한 후, 30대의 목표였던 좋은 직장에 들어가 회사 생활을 했지만, 난 계속해서 내 인생에 대해 의문을 가졌다. 그리고 영어를 유창하게 하고 싶다는 꿈을 위해 영국에 1년 동안 유학을 하러 가기로 결심했다. 내 주변의 많은 사람들이 33살이라는 늦은 나이에 대기업에서 보수가 좋은 직장을 그만두기로 한 나의 결정에 많이 놀라고 걱정했었다. 하지만 내 안에는 더 많은 것을 원하고 자유를 추구하는 삶을 찾고 싶었다.

당연하게도 유학을 마치고 일본으로 돌아왔을 때 집도 직장도 없이 다시 제로에서 시작해야 했다. 영어를 유창하게 말할 수 있게 되었음

163

에도 나는 여전히 내가 되고 싶었던 나비가 될 수 없는 애벌레 같았다. 자유는 아직 멀게 느껴졌지만, 나는 일본에서 다시 내 삶을 구축하기 시작했다.

나는 사람들을 만나서 소통하는 것을 좋아하고 3개 국어라는 언어 능력을 활용하여 여행 안내자로 일하기로 했다. 여행회사에 입사해 좋은 가이드가 되기 위해 열심히 노력했지만, 일은 힘들었고 급여와 복리후생은 예전 회사보다 훨씬 낮았다. 하지만 내가 좋아하는 일을 하면서 사람들에게 기쁨을 줄 수 있어 행복했다.

마침내 내가 열정을 쏟아부을 수 있는 일을 찾아 2020년에 프리랜서로서 개인 여행 안내자가 되었지만, 일을 시작하자마자 코로나가 찾아왔다. 미라클 모닝을 발견하고 일상을 바꾸기 시작한 것도 이때쯤이었다. 나는 일찍 일어나서 내가 왜 지금의 내가 되었는지, 앞으로는 무엇을 하고 싶은지, 어떤 사람이 되고 싶은지 이해하기 위해 내 자신을 들여다보는 시간을 갖기 시작했다. 나 자신을 관찰하고 사랑하는 법을 배우는 시간을 가졌다. 코로나로 인해 가이드로서 능력이 제한되는 동안, 나는 1년 3개월 동안 열심히 필라테스 공부를 해 자격증을 따고 강사가 되었다. 그리고 2022년 마침내 개인 여행 안내자로 일할 수 있게 되었다. 3가지 직업을 병행하는 것이 항상 쉬운 일은 아니었지만(한때 4가지 직업을 가졌던 적도 있었다), 나에 대해 자신감을 느끼고 내가 세상에 무엇을 제공할 수 있는지 이해할 수 있게 되었다. 그

렇게 긴 여정 끝에 나는 늘 꿈꿔왔던 나비처럼 날 수 있는 자유를 얻
게 되었다.

앞으로 어디에서 또 무슨 도전을 할지는 모르지만, 이때까지 쌓아온
많은 경험을 통해 나 자신을 믿고 무엇이든 헤쳐 나갈 준비가 되어 있
다. 그리고 내 주위에 도와준 많은 사람들에게 감사하고 내 경험을 통
해 뭔가 망설이는 사람들에게도 당신도 할 수 있다는 용기를 주고 싶
다.

37

두려움을 넘어

일레인 (미국/미시간)

초등학교 5학년 때 가족과 함께 미국 LA로 이민을 왔다. 현재는 사계절이 아름다운 미시간주 Ann Arbor에서 고등학생 딸을 키우고 있다. 자폐가 있는 딸의 치료에 나의 30대를 바쳤다. 이제 40대에는 내 자신을 성장시키고 있다. 지금은 한국과 미국의 이중 정체성을 살려 Aramom English라는 이름으로 미국에 사는 한인 엄마들에게 영어의 장벽을 낮춰드리려 애쓰고 있다.

사춘기를 심하게 앓았다. 아메리카에 오면 우리 식구의 삶이 더 풍요롭고 행복할 거로 생각했는데, 너무나 다른 현실이 사춘기와 맞물려 터져버린 것 같다. 우린 가난했고 부모님은 노동과 이민 생활에 힘들어하셨다. 화남, 억울함, 그리고 관심받고 싶은 마음이 호르몬과 허물어져 그 당시 내가 할 수 있는 모든 나쁜 짓을 다 하고 다녔다. 담배와 술은 기본이고, 마약을 하고 갱들과도 어울렸다. 내가 하는 짓이 얼마나 위험한 줄도 모르고 부모님의 속을 썩여 드렸다.

1990년 우리 가족이 미국으로 이민을 왔을 때, LA 한인타운은 이민자들로 붐볐다. 그 당시 지역 초등학교는 학생들을 더 이상 받을 수 없었다. 넘치는 한국 아이들은 30분 떨어진 Santa Monica의 학교로 보내졌다. 한국 아이들을 따로 모아 한국 선생님이 ESL 반을 열어 가르칠 정도로 많았다.

요즘은 K-열풍으로 한국에 대한 인식은 아주 좋아졌지만, 그 시절 미국 아이들은 한국에 대해서 잘 몰랐다. 중산층 백인들이 살던 동네에 몰려든 우리를 대놓고 놀리는 아이들이 있었다. 우릴 '중국 사람'으로 취급했다. 눈을 찢는 시늉을 하며 '칭크(chink)'라고 조롱했고 "Go back to China."라는 말을 서슴없이 했다. "I'm not Chinese."라고 반박하는 일이 일상이 되었다. 속으로 '동양 나라도 구별 못 하는 멍청이들'이라며 서러움을 달랬다. 자연히 한국 아이들끼리만 어울리게 되었다. 인종 차별은 어른도 했다. 한 번은 집으로 가는 버스 안에서 앞에 앉아 있던 백인 할머니가 나를 보며 마늘 냄새가 난다며 몸을 비틀었다. 처음에는 '설마 어른이 학생에게 그럴까?' 그 상황을 믿지 못했다. 정말로 나에게서 마늘 냄새가 나나? 그 후로 한참 김치를 먹지 않았다.

사람에게 받은 상처는 사람에게서 치료된다고 했던가? 어렸을 때 나를 쪼그라들게 했던 자존감을 지켜준 미국 사람도 있었다. 방황하던 고등학교 시절, 미술 선생님이 나의 유일한 기둥이었다. 진한 화장에 배기한 청바지를 질질 끌며 반에 들어갔다. 담배 냄새가 진동해도 나무라지 않으셨다. 그저 미술에 대해서만 말씀하셨고 나를 인간적으로 대해 주셨다. 내가 그림을 잘 그릴 수 있게 포트폴리오를 완성하도록 묵묵히 도와주셨다. 내가 디자인을 전공하게 된 이유도 미술 선생님의 영향이 컸다. 아이 주위에 좋은 어른 단 한 사람이 얼마나 중요한지 보여준 증인이다.

내 자식이 학교에 다니니 학생 때를 돌아보게 된다. 그때 그 아이들은 어떻게 상처 되는 말을 아무렇지 않게 했을까? 평화롭던 자신의 터전에 낯선 한국 아이들이 몰려오니 당황했을까? 자기에게 나쁜 영향을 미치지 않을까 걱정됐을까? 우리가 그들의 것을 빼앗을까 불안했을까? 아니면 단순히 변화를 싫어했을까? 부모의 입장이 아이들의 행동에 영향을 미친다는 것을 내가 부모가 되니 알게 되었다. 어쩌면 그 아이들도, 그들의 부모들도 변화에 두려웠던 것은 아닐까?

변화에 두려움이 먼저 앞서는 것은 나도 마찬가지. 딸이 자폐 진단을 받았을 때 정말 두려웠다. 내 일이기 전에는 장애인에 대해 정말 무지했다. 다운 증후군과 자폐를 구분하지 못했다. 뇌전증 같은 병으로 몸을 제대로 못 가누는 사람을 보면 불편해 눈도 마주치지 못했다. 딸아이로 인해 장애인을 많이 접하고 보니 나의 고정관념은 완전히 무너졌다. 그들이 아름답고 자랑스럽게 보였다. 사회의 짐이 아니라 특별한 능력과 잠재력을 가진 소중한 존재라는 걸 알게 되었다. 그들을 보호하려 애쓰는 사람들은 희생과 희망을 버리지 않는 대단한 사람들이었다.

사춘기 때는 두려움을 화로 대처했다. 나 자신을 해치고 주위 사람들에게 상처를 주었다. 그래서 나도 이해한다. 미국에 사는 한국 사람이라는 이유만으로 나에게 상처를 주었던 사람들의 행동의 원천을. 그리고 나는 두려움을 관심으로 이완하려고 노력한다. 사람이 궁금해져서 그 사람을 보호하고 있는 껍데기를 보게 되었으면 좋겠다. 그리고 다른 사람들도 내 껍데기에 관심을 뒀으면 좋겠다.

38

홀로 서서 기대어 사는 인생

일비 (일본/사이타마현)

출장지일 뿐이었던 일본.

'일하면서 더 살아봐도 좋은 나라'라는 막연한 생각이 들어 일본어 학교를 등록했다. 그곳에서 만나게 된 일본인과의 결혼으로 아직 나는 애증의 나라 일본에서 여행 긱워커로 살고 있다.

블로그 하나로 일본 관광청 콘텐츠 한글 작업과 여행지의 새로운 콘텐츠 개발에 참여하게 되고 늘 새로운 경험을 하는 일상. 어쩌다 해외 생활이 시작, 어느덧 인생의 반을 살아가며 겪은 일들은 타지에서 내 인생이 끝난다면 어떤 준비를 해야 하는지 생각하는 나이가 되었다. 현재 23년 차 한, 일 커플로 일본에 살고 있다.

2022년 시댁에서 신년회를 하고

나: "어머님 우리 내일 신년 온천 가요!"

어머님: "그래~! 데리러 오는 거지?!"

나: "네! 출발할 때 전화할게요!"

하지만 다음 날 아침…. 남편 절친 아내의 소천 소식이 날아들었다. 서둘러 어머님께 온천은 못 가게 되었다는 소식을 전해드렸지만, 알츠하이머병 진단을 받으신 어머님은 역시나 잊고 계셨다. 절친의 아내는 난소암 투병을 하고 있었는데 10대 남매를 둔 중국 국적의 아내였다.

남편: "마리 짱이 없으니 아마 꽃병도 못 찾을 텐데…."

나: "우리 집 꽃병을 들고 가, 아주 꽂아 달라고 해서 사 오자…."

그렇게 코로나로 인해 조촐한 가족장만 치른다는 소식을 듣고 그 집으로 달려갔다. 마리 짱의 일본인 남편은 중국어를 못해 아내의 친정 식구들에게 부고의 소식을 전할 길이 없고, 장례식을 치르기 위한 절차가 있어 여기저기 전화도 오가고…어디부터 손을 대야 할지 경황이 없는 상태에서 도착한 우리를 보고 그만 울음보를 터트렸다. 일단 마리 짱의 핸드폰에서 가장 많이 통화했던 친구에게 전화해서 어렵게 LINE 앱을 연결하기로 했다. 하지만 부고 소식을 중국 부모님께 전해주는 것이 쉽지 않았던 이유는 외동딸인 마리 짱의 부모님이 80대라는 것이었다. 나의 친정도, 시부모님 그리고 지인들의 천정식구도 나이가 들어간다. 결국 남동생뻘 된다고 하는 중국 지인을 통해 라인을 연결, 부고 소식을 알리기는 했지만, 이 코로나 시국에…어르신 두 분이 여기 장례식에 오실 수 있으실까, 걱정이 앞섰다.

우리 부부는 종일 그 댁에서 일을 도와드리고 펑펑~~울다가 집에 오는 길에

남편: "술 생각나네…." 그러면서 맥주를 사 들고 들어왔다.

나: "나 죽거든 화장 이후에 뼛가루 조금이라도 00에게 건네줘…. 말해뒀어. 일본어 다 하는 친구니까 그 친구가 내 뼈는 한국에 뿌려줄 거야…."

남편: "또 그 소리…. 알았다니까!"

나도 여기서 생을 마친다면 스스로 친정에 알릴 수 없는 남편과 살고 있어 몇 년 전부터 이런 준비를 하고는 있었다. 그리고 기회가 있을 때, 이렇게 주변에 다시 상기시키고 있는 나를 발견한다.

1월 6일 남편은 긴 신년 연휴를 마치고 첫 출근을 했다. 11시쯤 전화가 울린다.

남편: "벌써 점심밥 안쳐놨어?!"

나: "취사 눌렀는데~"

남편: "아…. 좀 일찍 할걸…. 오늘 점심엔 도시락을 사 가려고!"

그렇게 남편이 사 온 6개의 도시락….

우리 부부, 상을 당한 친구, 엄마를 잃은 두 남매와 아이들을 챙겨 주고자 잠시 와 계신 80대 절친 어머님의 것이었다.

남편: "빨리 먹고 그 집에 도시락 가져다줘야겠어. 살림을 도맡아 하던 사람이 없으니, 뭐가 어디 있는지 몰라 당장은 밥 차리는 것도 힘들어 보여."

정초에 들러 본 그 댁의 모습에서 차 한 잔을 내려 해도 식기가 어디 있는지 찾지 못하고 페트병 채 내오시는 어머님의 모습을 눈여겨봤던 사람. 남편은 정말 타인에게 천사다. 비록 결혼 전 나에게 했던 결혼 공략! "난 친절할 자신은 없고, 안 변할 자신만 있어."라고 했던 그 말을 지키고는 있긴 하지만 말이다. 이런 마음을 알기에 멋모르고 결혼했지만, 감사한 마음으로 21년 차 결혼 생활을 유지하고 있나 보다. 여기서 생을 마쳐도 한국에 잘 알릴 수 있을지 나 스스로 걱정해야 하는 순간이 슬프긴 하지만, 이래서 내가 나고 자란 나라를 떠나 아직도 여기서 같이 산다. 나에게 친절하지 않은 대신, 내가 단도리하고 홀로서기 해두면 그 홀로 선 둘이 사람 인(人)처럼 기대고 살 수 있으니….
다른 나라에서 생을 마친다는 것은 이런 걸까?!

39

일본인들의 이미지

재팬 마이데일리 (일본/도쿄)

3년을 계획했던 일본! 통역사의 꿈을 이루기 위해 일본에 왔었다. 잊고 있었다. 그 당시 통역사였던 분을 방송과 저서 [국제회의 통역사가 되는 길]를 통해 접하면서 통역사의 꿈이 생겼고, 3년 공부한 후 한국으로 돌아가 통역대학원에 가고 싶었다. 그런데 바쁜 유학 생활로, 그 꿈은 저 깊은 어딘가로 사라졌었다. 사회복지를 전공하고, 대학 졸업 후는 회사. 회사 퇴직 후는 또 다른 여러 일들…. 그런데 현재는 전문 통역사는 아니지만 프리랜서로 전시회, 상담회, 기업 회의의 일한 통역을 하고 있으니, 오랜 시간 돌아왔지만, 처음에 가졌던 꿈이 조금씩 이루어지고 있다고 생각한다.

이렇게 일본에 오랫동안 살게 될지 몰랐다. 남편을 만나 결혼하고, 두 명의 아이를 키우고 있다. 역사로 얽혀져서인지 제2의 고향이라고 말하기 조금은 불편한 마음도 들지만 한국보다 일본에 거주한 기간이 역전되고 있으니, 제2의 고향이라고 말해도 과언은 아니다.

일본에 오기 전에 주위에서 많은 걱정의 소리를 들었다. 뉴스에는 좋은 얘기보다 안 좋은 얘기가 과장되어 보도되는데, 지금 돌아보니 가부키쬬에서 비자 없이 일하다가 본국으로 돌아가게 되는 외국인들의 이야기였겠다는 생각을 해본다. 나는 다행히 일본에 도착해서 얼마 지나지 않았을 때, 교회에 좋은 분들을 만난 덕분에 주위에서 우려하는 일들은 일어나지 않았고, 지금까지 큰 어려움 없이 살고 있다. 24년간 살면서 학교에서, 아르바이트에서, 일을 하면서 많은 일본인들을 만나고 접하면서 많은 것들을 배우고 느꼈다. 개인적으로 느끼는 부분도 있겠지만 일본인들의 일반적인 모습일 것 같다는 생각을 해본다.

첫 번째 신뢰가 쌓인 관계는 오래간다. 그런데 그 신뢰가 쌓이는 데까지의 시간과 노력에는 많은 인내와 시간이 필요하다. 남편의 예를 들어보면 일할 때 팀장으로 있던 일본인이 일을 쉽게 가르쳐주지 않고, 말도 친절히 건네는 분이 아니었다고 했다. 그런데 몇 년간 함께 일하며 신뢰가 쌓였고, 전직을 한지도 벌써 10년이 지난 지금도 연락과 만남을 하는 돈독한 사이가 되었다. 이 예는 생환에서도 비슷하게 저용

된다. 신뢰가 쌓인 거래처나 미용실 등 금액이 다른 곳에 비해 조금 더 비싸다고 하더라도 쉽게 바꾸지 않는 것이 일반적이다.

두 번째 매뉴얼대로 한다. 이 이야기는 아마도 많이 들었을 수도 있다. 매뉴얼대로 한다는 말은 매뉴얼도 잘 만들어져 있다고 보면 되겠다. 어떤 업무에든 제대로 된 매뉴얼이 있다. 학생 때 松屋(마쯔야)라고 하는 쇠고기덮밥 체인점에서 아르바이트한 적이 있었는데, 쓰레기를 버리는 과정부터 버리는 장소, 밥하는 방법, 손님에게 음식을 내주는 과정 등 저런 것까지? 라고, 생각할 정도로, 자세하게 매뉴얼로 만들어져 있었다. 미니스톱이라고 하는 편의점도 마찬가지였고, 복사하는 방법과 순서까지 모두 매뉴얼화 되어있고, 매뉴얼대로 일을 하게 된다. 대신 매뉴얼에 없는 일은 잘하지 못한다는 점. 내 생각을 빼고 일을 하므로 유도리가 너무 없다는 단점이 있기도 하다.

세 번째 근면 성실하다. 일본에서 처음 아르바이트를 세이유라고 하는 슈퍼에서 일을 했었을 때의 이야기다. 세이유라고 하면 일본에서도 유명한 대형슈퍼이다. 당시 살았던 고쿠분지라는 지역 근처 지점에서 일을 했었고, 그곳에 점장이 있었다. 점장은 슈퍼의 대표인데, 정말 열심히 일을 했다. 그때 당시(2000년 4월) 한국의 대표에 대한 이미지는 지시하는 이미지였는데, 그와는 반대로 직원들보다 더 열심히 일을 했었기에 신선한 충격이었다. 24년이 지난 지금도 여전히 대표들의 열심히 일하는 모습은 아주 자연스럽게 발견할 수 있다.

한 가지 더 얘기하면, 유난히도 습하고 더운 어느 여름이었다. 5층 이상의 카페였던 것으로 기억한다. 친구와 식사하다가 우연히 창밖의 어느 건물 지붕에서 일하고 있던 인부를 발견했다. 주위에 아무도 없이 혼자서 일하고 있었다. 더우니 쉬면서 일할 법도 한데 쉬지도 않고 열심히 일하는 모습을 보며 감동을 한 적이 있었다. 누군가를 의식하지 않고 맡은바 충실히 일하는 모습은 배워야 할 것 같다.

마지막으로 대가 없이 그냥 받는 것은 선호하지 않는다. 학교 친구와 함께 교회에 갔던 적이 있었다. 교회에 같이 가 준 것이 고마워서 과자 등 간식도 챙겨주고 작은 선물도 준비해서 줬던 것 같다. 그런데 그 친구와 어느 순간 연락이 잘되지 않았다. 당시에는 이유를 알 수 없었지만, 시간이 지나서 알게 된 것은 대가 없는 친절이 부담스러웠다는 것을 알게 되었다. 지금 생각해 보니 첫 번째 얘기한 신뢰가 쌓이지 않았기 때문인 것 같기도 하다. 의지의 한국인으로서 일본 속에 살면서 배우기도 하고, 바꿔가기도 하며 열심히 살아가고 있다.

40

새로운 나의 발견

전정림 (미국/버지니아)

결혼 후 3년 계획의 미국 생활은 어느새 16년이 되어간다. 누구나 그렇듯이 내게
도 인생은 결코 계획대로 되지도, 만만하지도 않았다. 내 뜻대로 되지 않고 자꾸만
튀어나오는 새로운 굴곡들에 당황하기도 하고 화가 나기도 하고 안달복달 마음 졸
이며 살아왔는데 50이 넘은 지금, 천상병 시인의 말씀처럼 인생은 소풍 같은 게
아닐까 깨닫는다. 긴 해외살이를 통해 얻은 다양한 경험들은 소박하게 작은 그릇
속에 안주하던 나를 일깨우고 진정한 내 참모습을 찾아가는 기쁨을 알게 했다. 선
물 같은 13살 딸아이와 버지니아에서 도란도란 살고 있다.

나에게 해외 생활이란 '새로운 나의 발견'이다.

36살 늦은 결혼으로 시작된 미국에서의 삶, 한국 슈퍼나 식당 하나 없던 뉴저지 작은 시골에서 소꿉놀이하듯 결혼생활을 시작했다. 아이를 낳고 아무것도 모른 채 어설프게, 사서 고생을 하며 육아했다. 순전히 내가 먹고 싶어서 1시간 반 거리의 한국 슈퍼에서 장을 봐서 직접 김치와 깍두기를 담그고 입덧 때 먹고 싶던 식혜와 김말이, 만두도 직접 만들어 먹었다. 서울에서 태어나 손에 물 하나 안 묻히고 대학을 거쳐 명동, 선릉의 빌딩 숲에서 디자이너로 살던 나는 난데없이 미국 시골 아낙이 되었다. 한국 슈퍼가 너무 멀어 직접 텃밭에서 상추, 고추, 깻잎, 파를 키우고 매일 세끼 한식 밥상을 차리며 아이와 온몸으로 놀아주느라 대부분의 시간을 보내며 살 수 있을 거라고는 상상도 못 했다.

내가 도도하고 냉정한 도시녀인 줄 알았더니 이런 시골스러운 삶이 찰떡으로 어울릴 줄이야. 늘 완전한 메이크업에 하이힐을 무기처럼 장착하던 나는 화장기없는 민얼굴에 목이 늘어난 티셔츠와 요가 바지를 유니폼처럼 입고도 유쾌했다. 마음이 자유롭고 따라야 하는 규칙이나 눈치 봐야 할 남의 시선 따위가 없어선지 나와 내 남편의 웃음에는 속에서 우러나오는 진짜 호탕함이 있었다.

포닥 월급은 참으로 소박해서 꽤 오래도록 우리는 사과를 3개 살지 5개 살지, 요구르트를 사도 될지 고민하며 살아야 했다. 늘 몸은 고생스럽고 힘들었지만 지금도 구글에서 그때 사진이 뜨면 너무 해맑고 행복해 보인다.

사랑 하나 때문이라고 하기엔 내 나이 36은 그렇게 세상 물정 모르는 나이도 아니었는데 그땐 정말 뭐가 씌었나 보다. 영국 유학, 대기업, 디자인 컨설팅 회사들을 거치며 디자이너로 치열하게 경력을 쌓던 내가 갑자기 그 모든 걸 내려놓고 늦깎이 포닥 지망생을 따라 아무 계획도 없이 덜렁 결혼하고 미국 시골로 올 지는 나도, 가족들도, 모든 지인도 전혀 예상치 못했다. 원래 인생은 이렇게 느닷없이 전개되는 건가 보다.

8년 전부터 살고 있는 북부 버지니아는 세계 각국의 사람들이 모여 산다. 서울에선 좀처럼 만나기 쉽지 않던 중동 사람들과 구동구권 나라 사람들도 많고 온갖 유럽 나라에서 온 사람들, 다양한 아시아인들이 다 같이 모여서 복닥거리며 살고 있다. 자연히 그 어떤 문화에 대한 경계도 없고 다양함에 대한 존중이 필연적인 사회다. 그게 생각보다 나를 참 편하고 자유롭게 한다.

이 다양함의 용광로 속에서 살다 보니 오히려 내가 정말 뭘 좋아하고 뭘 원하는지 알아가게 되었다. 남들과 비슷한 취향으로 살아가야 괜스레 안심되던 서울에서와는 달리 여기서는 내가 요란한 드레스를 입고 혼자 프렌치 레스토랑에서 양고기 스테이크를 썰어 먹고 있어도 아무도 상관하지 않는다. 워낙 다양한 문화가 공존하다 보니 서로 이해하지 못해도 다름을 인정한다고나 할까. 각자 자신에게 집중하느라 다른 사람의 취향이나 삶에 세세히 궁금해하지 않는다. 이런 분위기 덕분에 소심하던 나도 자연스럽게 정말 내 마음이 가는 삶의 방식, 습관, 취향들을 편안하게 찾아 즐기게 되었다.

명품 가방 사는 건 아까운데 비싼 수제 초콜릿에는 지갑을 열 수 있고 좋다는 유명 브랜드의 그릇을 세트로 장만하는 것은 별론데 이곳저곳에서 사 모은 알록달록 컵들과 접시들을 보면 마음이 설렌다는 나만의 소소한 행복을 알게 되었다. 선크림으로 중무장해서 여름에도 하얀 피부와 운동 없이 말랑한 팔뚝보다 아침 조깅으로 다져진 근육질 몸매와 햇볕에 그을린 구릿빛 피부가 더 내 취향이라는 것도 알게 되었다. 여전히 저질체력이지만 근육 팔을 가진 동네 아줌마들이 부러워 열심히 근력강화운동 중이다.

예전 서울에서의 나와 16년째 살아가고 있는 미국에서의 나는 참 많이도 다르다. 내향적 성격을 당당히 드러내며 내가 좋아하는 사람들과 더 많은 시간을 보내고 쓸데없는 사회적 관계를 만들지도 않는다. 나 자신과 가족에게 더 집중하고 나만의 행복한 취향들을 찾아가는 삶을 선물해 준 이민 생활에 감사한다. 내일의 내가, 5년, 10년, 20년 뒤의 내가 어떤 모습일지 궁금해하며 살아갈 수 있음에 감사한다.

41

은인을 만나게 해준 미국

제이제이맘 (미국/필라델피아)

2002년 친구와 즉흥적으로 떠난 캐나다 여행을 계기로 영어를 혐오하던 나는 영어에 관심이 생겼다.

그 이후 엄마 지인의 동생이 계신다는 필라델피아로 여행을 왔다. 파티플래너가 되고 싶어 2005년 1월 필라델피아로 다시 돌아와 학교에 들어갔다. 학비를 벌기 위해 네일가게 아르바이트를 했고 그 인연으로 자격증도 따고 가게도 하고 소중한 사람들도 만났다. 결혼과 출산으로 나의 꿈은 뒤로 미루어졌다.

여러 가지 비즈니스도 했지만, 개인사와 건강 문제로 지금은 집에서 케이크를 만들고 있다. 아들이 고등학교를 졸업하는 3년 뒤, 오롯이 내 시간을 다 투자할 그날을 기대하며 오늘 하루도 열심히 살아간다.

미국에서 두 명의 은인을 만나다.

첫 번째 나의 은인은 제니 언니다.

18개월 된 아들을 뒷자리 카시트에 태우고 체리힐 뉴저지에서 필라델피아로 가기 위해 벤 프랭클린 다리를 건너고 있었다. 중간쯤 갔을까? 심장은 터질 듯이 뛰고 감정은 요동치고 핸들을 오른쪽으로 꺾어 강으로 곤두박질치고 싶은 충동과 공포로 어떻게 해야 할지를 몰랐다. 제니 언니에게 무작정 전화를 걸었다. "언니. 살려주세요. 아이가 자고 있는데 다리를 무사히 건널 자신이 없어요. 살려주세요. 저 어떡해요?" 울면서 어찌할지 모르는 내게 언니는 일하다 말고 받은 전화임에도 끊지 않고 차분하게 말해주었다. "괜찮아. 앞만 보고 천천히 움직여. 뒤에서 뭐라 하든 천천히 앞으로 가자." 언니 말에 손을 벌벌 떨며 어떻게 다리를 건너왔는지 모르게 건너왔고 그날 나와 아이는 무사했다. 그때는 공황장애인지 몰랐다. 그날 이후 언니는 울면서 수시로 전화하는 나를 진정시키고 달래줘서 무사히 하루하루를 보낼 수 있게 해주었다.

언니도 챙겨야 하는 어린아이 둘이 있었고 일을 다니고 있었음에도 아침, 저녁으로 전화해서 내 상태를 체크해 주었다. 미국 땅에 아이와 나 둘뿐인 상황에 언니는 내게 보호자였고 가족이었고 친구였다. 나조차 인지하지 못했지만, 몸과 마음이 지칠 대로 지친 내게 우울증이 공황장애로 발전했던 것 같다. 언니와는 돌잔치 파티 장식을 해주는 일을 주말에 했다. 그러다 언니가 네일숍을 하자고 해서 비즈니스를 시작했다. 비록 내 건강상의 이유로 1년밖에 못 했지만, 언니 덕분에 필라델피아로 다시 이사를 했고 사람답게 살 발판을 만들었다. 찾아오는 고비마다 언니가 있어 줬기에 나와 아이가 무사히 살아갈 수 있었다.

두 번째 은인은 지선 언니다.
마음이 힘드니 매주 혼자 아이랑 성당에 가서 앉아 있다 오곤 했다. 아이가 3살이 넘어가는데 세례를 받게 해주고 싶었다. 혼배성사도 하지 않았고 이혼해서 아빠도 없는데 세례를 받을 수 있을까 고민하던 때 지선 언니가 알아봐 주고, 남편분과 함께 대부, 대모님도 해주셨다. 그렇게 무사히 세례를 받았다. 언니의 보살핌으로 종교 생활도 일도 아이를 키우는 일도 오늘까지 하고 있다.

다운되어 있는 나를 언니는 밖으로 꺼내어 하이킹도 하고 여행도 시켜주었다. 하루하루를 무사히 버틸 수 있었던 건 두 언니 덕분이다. 공황장애가 올 때마다 전화하면 받아주고 내가 있는 곳까지 마다하지 않고 와 주고. 아들 라이드도 다 해준 언니들. 몸이 안 좋아 병원 신세를 지을 때도 보호자로 옆을 지켜준 언니들. 엄마와 통화하면 버티지 못하고 한국으로 돌아가서 식구들을 힘들게 할까 봐 연락도 못 하고 혼자 끙끙거리며 버티던 나를 식구보다 더 살뜰히 보살펴준 언니들, 두 분 덕분에 오늘 내가 있고 아들이 있다.

4년 전 새로운 가족이 생기는 날 아들과 나를 키워준 언니들에게 감사 인사를 하는데 눈물이 앞을 가렸다. 생각해 보면 그분들이 없었다면 내 아이가 지금처럼 밝게 자랄 수 있었을까 싶다. 형제 없는 아이를 형제처럼 남매처럼 가까이 지낼 수 있게 해주고 특별한 날이나 연휴에 둘이 있지 않게 언제나 같이 있어 준 언니들. 지금도 대소사를 살뜰히 챙겨주고 지켜봐 주는 그분들 덕에 용기가 생겨 이것저것 도전도 해보고 있다. 미국이라는 제2의 고향을 만들어준 언니들께 감사하다.

내 인생도 이제 2막을 시작하려 한다. 그분들이 내게 베푼 선한 영향력을 나도 나처럼 힘든 분들께 나눠드리고 싶다.

42

—

미래의 나를 만나는 시간

주주월드 (미국/로스앤젤레스)

15년 전, 가슴 속 간절했던 꿈 하나와 이민 가방 두 개를 들고 아는 이 하나 없는 타국으로 혼자 떠나왔다.

그동안 꿈꿔왔던 패션 디자이너이자 사업가로서 미국에서 활발하게 활동하다가, 코로나 이후 완전히 다른 삶을 살게 되었다. 현재는 변화된 시대에 맞춰, 해외 교민 여성들이 새롭게 자신의 꿈을 펼칠 수 있도록 돕는 온라인 교육 플랫폼을 운영하고 있다. 이곳을 통해 그들이 서로 연결되고 서로의 잠재력을 발휘하며, 더 큰 세상으로 나아갈 수 있도록 도와드리고 있다.

재택근무를 하는 나는 아무리 바쁘더라도 오전에 잠시라도 산책하기 위해 집을 나선다. 그렇게 집 주변을 어슬렁거리며 돌아다니다 보면 이제는 너무 익숙해져 버린 온갖 종류의 선인장을 보게 된다.

LA에 처음 왔을 때, 이런 선인장들이 무척이나 신기하고 낯설어서 나의 시선을 온통 사로잡았지만, 이제는 인식조차 못 하고 무심코 지나친다. 오늘도 어김없이 선인장 옆을 스쳐 지나가다가 우연히 초등학교 때 과제로 그렸던 그림이 생각났다. 과제의 주제는 30년 후에 내가 살게 될 곳을 상상해서 그리는 것이었다.
나는 영화에서 본 장면을 어렴풋하게 떠올리며 선인장이 가득한 사막을 그렸다. 아마도 그 당시 '30년 후'라는 시간이 나에게 너무나 먼 미래로 느껴졌고, 어린 마음에 미래의 지구가 온통 사막이 될 것으로 생각했던 것 같다. 다행히, 그때 내가 걱정했던 만큼 지구가 심각하게 변한 것은 아니지만….

그 그림을 그린 그날부터 정확히 30년 후, 내가 지금 살고 있는 이곳은 주변에 온갖 다양한 선인장으로 둘러싸여 '사막 지역'이라 불리는 곳이다. 이제야 작은 고사리손으로 그렸던 그림과 비슷한 곳에서 살고 있는 나를 발견했다. 이것이 우연의 일치인지, 아니면 책에서 읽었던 무의식의 힘이 작용한 것인지는 모르겠다.

많은 사람들이 간절히 원하는 것이 있다면, 그것을 글이나 이미지로 만들어 자주 보이는 곳에 붙여두는 것이 좋다고 말한다. 나는 이 과정이 꿈을 무의식 시스템에 입력하는 것이라 생각한다. 이런 방법은 자신의 꿈을 실현하는 데 많은 도움을 준다.

20대 때 나는 10년 후에 패션 트렌드를 조사하고 판매하는 글로벌 회사를 운영하는 사업가가 되는 것을 꿈꾸며 책상 앞에 그 꿈을 적어서 붙여놓았다. 그 당시에는 글로벌 회사가 무엇인지도 제대로 이해하지 못한 채 그냥 적었던 것 같다. 놀랍게도 정확히 10년 후, 내가 디자인하고 만든 옷을 미국, 유럽, 한국, 남미 등에서 판매하는 글로벌 패션 회사를 운영하게 되었다. 그리고 현재는 미국, 남미, 캐나다, 영국, 프랑스, 한국, 일본, 중국 등 전 세계에 거주하는 한국 여성들이 변화된 시대에 맞춰 자신의 잠재력을 발견하고, 새로운 꿈을 꾸며 세상에 나아갈 수 있도록 돕는 온라인 교육 공간을 운영하고 있다.

비록 20살에 때 꿈꿨던 것을 그대로 이루진 못했지만, 글로벌 회사를 운영하고 콘텐츠를 기반으로 회사가 운영된다는 점은 비슷한 듯하다. 아마도 지금의 나는 그때의 꿈에서부터 시작된 것 같다. 그래서 나는 스스로 원하는 모습을 상상하는 것, 즉 꿈을 가지는 것을 중요하게 생각한다. 꿈을 가지는 것은 마치 미래의 나를 미리 만나는 것과 같다.

30년 전이나, 또는 20년 전에 꿈이 나를 이곳, 이른바 '기회의 땅'이라 불리는 자유로운 미국으로 이끌어주었기 때문이다. 덕분에 나는 이곳에서 상상 이상의 다채로운 세상을 경험하고 있다. 당신은 어떤 꿈을 가슴에 품고 있는가? 자신의 꿈을 잊지 않고 자주 꺼내 보고 있다면, 그 꿈이 앞으로 당신을 더 멋진 모습으로 이끌어 줄 것이다.

43

꿈이 자라는 가게

줄리아 (호주/브리즈번)

20대에 호주에 와서 새로운 삶과 사업을 시작했고, 코로나로 마음과 몸이 지쳐있을 때 생명수 같은 MKYU를 만나 온라인이라는 드넓은 세상과 만날 수 있었다. 읽을거리가 가득한 세상에 사는 것을 즐기며, 오늘도 새로운 것들을 배우며 소통을 위해 준비하는 행복한 꿈을 꾸며 살아가고 있는 50대 아줌마이다.

"안녕 줄리아!" 누군가가 부르는 소리에 깜짝 놀라 고개를 들어 주위를 살펴보았다. 내 앞에는 호주태생의 '사만다' 할머니가 인자한 미소를 띠며 내게 다가오고 계셨다. 나는 "좋은 아침입니다! 사만다 할머니!"라고, 반갑게 인사를 했다. 할머니는 활짝 웃으시며 "늘 친절하게 대해 줘서 고마워요. 줄리아!"라며 예쁘게 포장된 선물 상자를 나에게 내미셨다. 나는 어리둥절해하며 선물을 받았다. 그리고 상자를 열어 본 순간 그만 감동의 눈물을 흘리고 말았다. 상자 안에는 앙증맞은 순백색의 아기 모자와 원피스, 그리고 정말 작은 양말이 들어 있었다. 태어날 아기를 위해 손수 떠 주신 것이었다. 연세가 많으신 '사만다' 할머니가 부들부들 떨리는 손으로 며칠 밤낮 동안 고생하며 뜨개질하셨을 것을 생각하니 갑자기 목이 메었다. 놀라서 어쩔 줄 모르는 나에게 '사만다' 할머니께서는 인자한 미소를 보내셨고 나는 '사만다' 할머니의 마른 몸을 조심스럽게 꼭 안아 드렸다.

그때 나는 30대 초반이었고 새로운 꿈은 안고 호주 온 지 얼마 되지 않았을 때였다. 여러 가지 일들을 경험하면서 마음고생도 많았지만, 다행히 성실하고 착한 배우자를 만나서 결혼했다. 낯선 이국땅에서 만삭의 몸이 되었던 내게 '사만다' 할머니의 선물은 큰 위로가 되었다. 때마침 브리즈번 시내의 쇼핑센터 한편에 있는 작은 Take away shop을 인수하여 막 개업 준비를 하던 중이었다. '사만다' 할머니와의 이토록 아름다운 인연을 만들어 준 이 작은 가게와의 만남은 호주에서의 내 인생의 대반전 기회를 가져다주었다.

호주에 온 지 4년째, 나는 유산을 두 번이나 겪었다. 3일 밤낮을 목 놓아 엉엉 울었다. '건강한 내게 왜 이런 일이 생긴 것일까!' 평소에 입버릇처럼 '5명의 아이를 순풍순풍 낳아서 잘 키울 거야!'라며 늘 호언장담했던 나에게 유산의 아픔과 실망은 너무나 컸다. 남편 외에는 의지할 사람 하나 없는 이곳에서 나는 너무 무섭고 외로운 시간을 보내고 있었다. 그러던 중 옆집으로 한국 가족이 이사 왔다.

내 사정을 알게 된 옆집 아주머니는 "새댁! 국수가 맛있게 비벼졌어요. 점심, 같이 먹어요." "새댁! 사골국 좀 끓었는데 먹어 봐요."라며 나를 심심치 않게 불러주셨다. 하루는 놀러 오셔서 "새댁! 일 좀 해 볼래요?"라고 하셨다. 답답한 마음을 털어버리듯 "예, 좋아요!"라고 크게 대답하며 냉큼 따라나섰다. 그때는 큰 쇼핑센터 안에 한국인이 Take away shop을 운영하는 일이 드물었다. 간단한 면접 후에 채용되어 짧은 영어 실력이지만 바로 일을 시작할 수 있었다.

주인 부부는 경제적으로 여유가 많은 듯 보였다. 개업한 지 2주쯤 지나자, 그분들은 자신들이 생각했던 사업이 아니라며 바로 가게를 매물로 내놓았다. 겨우 2주 만에…. 안타깝기도 하고 아쉽기도 했다. '호텔 셰프로 오랜 경력을 가진 내 남편이 이 가게를 운영하면 얼마나 좋을까?' 하는 마음이 들었다. 이 정도 규모의 가게는 잘 운영할 수 있을 것 같은 예감이 들었지만, 호주에서 결혼식을 하며 그간 모아 놓은 돈을 다 써버렸기에 가게를 인수할 만한 경제적인 여유가 없었다. 부동산에서는 이 가게에 관심 있는 고객들에게 가게를 보여주었지만 3개월이 지나도 가게는 팔릴 기미가 보이지 않았다.

그러던 어느 날, 나는 큰 용기를 내었다. 어디서 그런 무모한 행동을 할 생각이 났는지는 지금도 미스터리하다. 그동안 모은 3개월치 월급을 들고 가게 주인집으로 찾아갔다. "그 가게 저희한테 주시면 안 돼요? 저희가 한번 잘 운영해 볼게요!"라고 말했다. 다짜고짜 가게를 달라는 내 말을 들은 주인 부부는 매우 난감해했다. 나도 결국 민망해하며 그 집을 나왔다. 터벅터벅 돌아오는데 답답하기도 하고 창피하기도 했다. 며칠 동안 잠도 오질 않았다. 그러면서 그 가게가 더 간절하게 갖고 싶어졌다. 하지만 금전적으로 준비가 되지 않은 내게는 여전히 어려운 일이었다. 그래도 마음만은 주인처럼 정성껏 일했다. 손님들에게도 더 진심으로 대했다.

2개월이 지난 어느 날, 가게를 매수하고 싶어 하는 사람이 나타났다. 마음이 다급해진 나는 다시 한번 용기를 냈다. "저 정말 잘할 수 있어요! 남편이 호텔 요리사였으니 이 가게를 정말 잘 운영할 자신이 있어요!" 저희에게 한 번만 기회를 주세요! 한 번만 저희를 도와주세요!"라고 간절한 마음을 이야기했다. 우리를 물끄러미 바라보던 두 분의 얼굴에 슬며시 미소가 보였다. 그 순간 갑자기 심장이 툭 떨어지는 것만 같았다. 주인아저씨는 활짝 웃으며 "줄리아 보고 주는 거 아니야.

남편보고 주는 거야. 열심히 잘해 봐요."라고 말씀하셨다. 그 말에 뛸 듯이 기뻤고 심장이 얼마나 뛰었는지 모른다. 나도 모르게 눈물이 주르륵 흘러내렸다.

그 후로 우리는 최선을 다해 열심히 일했다. 가게를 새롭게 꾸몄고, 메뉴를 개발했다. 마치 기숙사에서 사는 것처럼 함께 먹고 자고 열심히 일하는 친구들과 함께 가게를 운영하면서 생겨나는 고민을 하나씩 해결해 나갔다. 그렇게 시간이 흘렀고, 10%만 지불하고 시작했던 가게는 2년이 조금 넘어 미수금을 다 갚을 수 있었다. '고진감래'라고 했던가! 꾹 참고 어려움을 이겨내니 결국은 행복한 시절이 나에게도 찾아왔다. 그 가게를 인수한 계기를 통해서 4개의 가게를 더 인수할 수 하는 기적을 만들어 갔다. '사만다' 할머니의 선물을 받았던 나의 딸은 벌써 23살이나 되었고, 유산의 아픔으로 눈물을 펑펑 흘리던 나는 지금 두 명의 딸을 둔 행복한 엄마로 살아가고 있다.

같은 교회에서 친하게 지내는 젊은 부부가 최근에 카페를 개업했다며 음식 품평을 해 달라는 부탁을 해왔다. 남편과 나는 치열하게 살았던 지난날의 기억들이 떠올라 감회가 새로웠다. 어렵게 카페를 열어 벅찬 가슴으로 시작하는 젊은 그들에게 성공할 수 있다는 희망을 한가득 나누어 주고 싶었다. 우리는 가슴이 벅차오르는 것을 느끼며 그 부부에게 진심 어린 조언을 건넸다. "지금은 고생스럽겠지만, 이 시기를 잘 이겨내면 원하는 꿈을 반드시 이루게 될 거예요. 어려움을 겪을 때마다, '고진감래'라는 말을 기억하세요. 지금의 이 노력은 훗날 큰 결실로 돌아올 것입니다."라며 어깨를 두드리며 그들을 격려해 주었다.

44

모험의 시작:
뉴욕에서의 새로운 삶

줄리안 (미국/뉴욕)

한국 산동네에 자라던 매우 수줍고 조용한 나는 12살에 미국 엘에이로 이민을 오게 되었다. 새로운 곳에서 다른 언어와 문화에 적응하던 중, 디자이너가 되겠다는 꿈을 갖고 또다시 아무도 없는 뉴욕으로 훌쩍 혼자 떠났다. 여기 뉴욕에서 생활 17년 이제, 어디가 나의 고향인지 모른 채 살아가는 아이 둘의 엄마이자, AÉHEE 가방 브랜드 창업자이다. 어렸을 때부터 해외살이에 한국어도, 영어도 서툴지만, 한국 커뮤니티 안에서 나의 정체성을 키워가는 한국을 사랑하는 1.5세이다.

뉴욕은 같은 미국 내에서도 엘에이와는 정말 다르구나! 잠들지 않는 도시라는 말이 딱~ 맞다.

처음 도착한 저녁, 어둠 속에서도 시끌벅적한 분위기가 느껴졌다. 그날 첫눈이 내리기 시작했는데, 차들이 많고 여기저기 불빛이 번쩍였다. JFK에서 맨해튼으로 들어가는 길, 멀리서 본 뉴욕 스카이라인은 정말 멋지고 예뻤다. 드디어 내가 이런 대단한 도시에 발을 디뎠구나! 어렸을 때부터 "난 뉴욕의 유명한 디자이너가 될 거야."라고 꿈꾸던 내 모습이 떠올랐다. 섹스 앤 더 시티를 즐겨 보며 누구나 한 번쯤은 가보고 싶어 하는 곳에 내가 산다는 것이 너무 감사하고 즐거웠다. 그렇게 가족 없이 멀리 떠나 뉴욕살이가 시작되었다. 하지만, 디자이너가 되겠다는 꿈을 안고 시작한 뉴욕 생활은 그렇게 팬시하지는 않았다.

당시 다니던 FIT 패션 학교 여름방학이 끝날 때쯤이었다. 다시 가을 학기를 시작하기 위해 잠시 엘에이에서 여름을 보내고 뉴욕으로 돌아왔는데, 집을 구하지 못해 서블릿(단기 월세)으로 들어갔다. 이제 한 학기만 열심히 배우고 졸업하면 뉴욕에서 유명한 패션디자이너 회사에서 일할 거라는 부푼 마음을 안고 돌아왔다. 외진 곳에 있는 서블릿에서 이것저것 여행 가방을 풀기 시작했다. 너무 배가 고파서 싸 온 햇반을 데우고 참치 통조림을 따서 허겁지겁 먹기 시작했다. 그런데… 이게 뭐지? 갑자기 여기저기서 바퀴벌레가 식탁으로 올라오기 시작했다. 벌레를 가장 무서워하는 나였지만 너무 배가 고파서 밥을 먹으며 벌레를 하나씩 없앴다. 옷을 갈아입기 위해 여행 가방을 열었는데 그 안에도 바퀴벌레가 돌아다녔다. 도저히 안 되겠다 싶어 캄캄한 밤에 다시 짐가방을 들고 무작정 나와버렸다. 나중에 알고 보니 아무도 살지 않는 집을 서블릿 한 것이었다. 나는 사기를 당한 것이었다!

그 캄캄한 밤중에 택시를 타고 여기저기 모텔을 찾기 시작했다. 한 푼이라도 아껴야 하는 시절이라 좋은 호텔은 쳐다보지도 못했다. 주말이라 그런지 방이 없어서 어찌할 줄 몰라 하다가 친하지도 않은 언니 집에서 딱 하루만 머물게 해달라고 부탁해 강을 두 개 건너 먼 뉴저지로 향했다. 그곳에 도착해 이제 한숨 놓고 너무 피곤한 나머지 통유리로 된 창문 옆에 있는 침대에 누워 바로 잠이 들었다. 갑자기 어디선가 '쿵쿵 쾅쾅' 천둥·번개가 줄줄이 이어 소나기가 창문을 깨트리듯 쏟아 내렸다. 얼마나 혼자 무섭고 지치고 힘든 하루였는지 이제 악몽까지 꾸는구나 싶었다. '내가 어떻게 이런 무섭고 외로운 도시에서 혼자 살아남지?' 두려운 마음에 눈도 뜨지 못하고 움츠린 채 선잠을 잤다. 다음 날 아침 밝은 햇빛을 맞으며 일어났다. 꿈인 줄 알았던 소나기는 진짜였다. 여기는 날씨가 천둥·번개 치다가도 갑자기 햇빛 쨍쨍 바뀌는 그런 곳이었다.

하루만 머문다고 했기에 또다시 100파운드(45kg) 넘는 이민 가방을 들고 나왔다. 이번엔 맨해튼 소호에 있는 다른 친구 집으로 향했다. 그

때 뉴욕 날씨는 정말 덥고 후덥지근했다. 도착했을 때, 6층 워크업이란 사실을 알았다. '나는 이제 죽었구나…. 어떻게 이 무거운 짐을 들고 6층까지 올라가지?' 아주 좁고 삐걱거리는 계단을 올라가기 시작했다. 땀을 뻘뻘 흘리며 '난 할 수 있어' 속으로 울먹이며 한 계단 한 계단 올라간 게 생각이 난다.

뉴욕에 살면서 이런저런 힘들면서도 재미있는 경험을 했다. 17년째 너무 매력적인 이곳을 떠나지 못해 이제 두 아이 엄마이자 디자이너로 해외에 살아가고 있다. 뉴욕은 하루하루가 매일 다르고 기대하지 못한 일들이 일어난다. 아마도 전 세계 여기저기에서 온 사람들이 모여 사는 작은 세상이라 그런가보다.

코로나 이후 늘어난 노숙자들, 길거리 마약 하는 사람들이 있어 위험할 수도 있는 맨해튼이지만, 여전히 이곳이 매력 있고 모험할 수 있어 재미있다. 해외 생활은 많은 경험을 할 수 있고 세상을 보는 시야를 넓힐 수 있어 행운이라 생각한다. 그래도 어린 시절 살았던 한국이 항상 그립다. 모른다. 아이들을 다 키우고 50대, 60대에는 다시 내가 태어난 한국에서 살고 있을지, 아니면 이탈리아 아말피 해변에 살고 있을지….

45

뉴요커, 인생리셋:
변화를 즐기는 법

쥴리아츠 (미국/뉴욕)

어린 시절, 서울의 골목길을 누비며 화가로서 자유를 꿈꾸던 소녀는 이제 뉴욕 스카이라인 아래서 디지털 아티스트로 새로운 세계를 그리고 있다. Jersey boy와의 로맨틱한 결혼은 인생의 큰 전환점이었고, 두 아이는 나의 가장 큰 뮤즈가 되었다. 경단녀라는 꼬리표는 잠시 나를 멈추게 했을 뿐, 이제는 디지털 캔버스 위에서 새로운 가능성을 펼치며 AI 아트의 선구자로 자리매김하고 있다. JulleeArts 브랜드를 통해 끊임없이 창조하고, 배우고, 성장하면서⋯. 인생은 언제나 행복한 컬러와 독창적인 아이디어로 가득 차 있다. 앞으로 그려질 무궁무진한 새로운 장면들이 기대된다.

마르셀 프루스트는 '진정한 발견은 새로운 풍경을 찾는 것이 아니라 새로운 눈을 갖는 것'이라고 말했다. 나는 어릴 때부터 새로운 경험과 미지의 장소를 동경하며 자랐다. 한 동네에서 학창 시절을 보냈지만, 학원만큼은 여기저기 옮겨 다녔다. 방의 가구도 자주 옮기며 변화를 주었고, 다양한 취미 생활을 즐겼다. 지금은 많은 사람들이 꿈을 이루기 위해 오고 싶어 하는 도시, 뉴욕에 살고 있다. 과연 나는 새로운 눈을 갖게 되었을까?

맨해튼에 처음 유학 온 것이 벌써 21년 전이다. 한국에서 패션을 전공한 나는 뉴욕의 명문 패션스쿨 FIT에 입학했다. 이십 대 초반, 브로드웨이 뮤지컬로 유명한 맨해튼 시어터 디스트릭트의 한 아파트에서 첫 해외 생활을 시작했다. 여행객처럼 각종 퍼레이드와 뮤지컬에 몰입하며 다양한 문화를 접하는 기쁨을 만끽했다. 직장 생활을 시작하고 나서는 헬스키친, 링컨스퀘어, 어퍼웨스트사이드 등 맨해튼의 여러 지역을 돌아다니며 매해 새로운 곳으로 이사했다. 새로움을 즐기고 변화를 추구하는 삶은 나를 더욱 행복하게 만들었다. 마치 뉴욕이라는 거대한 캔버스 위에 나만의 그림을 그려가는 듯한 기분이었다.

신혼집은 맨해튼 링컨스퀘어의 원베드룸이었다. 창밖으로는 메트로폴리탄 오페라단, 뉴욕 시립 발레단, 뉴욕 필하모닉, 줄리아드 스쿨이 보이는 예술의 중심지였다. 공연을 즐기기에 완벽한 이 아파트는 낭만 그 자체였다. 그러나 첫 임신 후, 육아를 위해 교외의 넓은 집으로 이사하는 것이 당연하다는 생각에 뉴저지 잉글우드 클리프스의 주택으로 이사했다. 이곳은 학군이 좋고 치안이 우수한 부촌이었으며 맨해튼 통근도 용이했다. 처음 주택 생활은 그야말로 신세계였다. 갑자기 늘어난 공간에 가구를 채워 넣는 것이 즐거웠다. 장롱면허였던 나에게 운전 없이는 아무 데도 갈 수 없는 삶은 도전이었지만. 집에서 머무는 시간이 많아지면서 다양한 온라인 북클럽 활동을 통해 매달 10권 이상의 원서를 읽으며 영어 실력도 쑥쑥 늘었다.

이사가 또 하고 싶어 몸이 근질거리던 나는 뉴저지 최고의 학군인 테너플라이로 이사했다. 4개의 초등학교, 중학교, 고등학교가 있는 이곳은 동네 마실 가기 좋은 예쁜 동네였다. 나는 아이들 학교 한인 학부모회에서 서기, 회계, 부회장, 회장직을 차례로 맡으며 열심히 아이들의 학교생활을 도왔다. 단조로운 일상에서 벗어나 디지털 아트와 온라인 무자본 창업에 대해 코칭을 시작했고, 초기부터 AI 아트를 접해 한국인으로서 최초로 AI 아트 강의를 시작했다. 코로나 시기에 학교가 온라인으로 전환되면서, 아이들 플레이데이트를 핑계 삼아 다양한 친구들과 소중한 우정을 쌓을 수 있어 감사한 시기였다.

지금 나는 뉴욕의 심장부, 맨해튼에 살고 있다. 20대 시절 맨해튼의 활기찬 삶을 사랑했던 나는 은퇴 후 이곳에서 다시 살겠노라 다짐하곤 했다. 하지만 왜 그때까지 기다려야 하는가? 아이들이 장난감을 벗어나 짐이 반으로 줄어든 지금, 작은 아파트로의 이사가 가능해졌으니 말이다. 미래를 미리 맛보는 예고편처럼 현재를 즐겨보는 것은 어떨까? 이렇게 생각을 바꾸자마자 우리는 몇 달 만에 집을 팔고, 허드슨강을 건너 아이들을 전학시켰다. 배터리 파크 시티에서 자유의 여신상을 배경으로 매일 새롭게 물드는 노을을 바라보며, 이곳에서 매일 감사를 느낀다. 집에서 일하는 나는 대형 모니터와 와콤 태블릿 앞에서 어깨가 뻐근해질 때쯤, 작은 스케치북과 연필, 그리고 영감을 기록할 핸드폰을 들고 무작정 밖으로 나간다. 때론 미술관까지 걸어가기도 하고, 집 앞의 꽃 한 송이, 풀 이파리 하나에도 감동하며 그림을 그린다.

최근 처음으로 아파트 렌트를 재계약했다. 여기에 더 오래 머물 수 있을 것 같다. 이제 변화는 내 내면에서 일어나고 있는 것 같다. 외부에서 받는 자극보다 아티스트로서 내 안의 변화에 더 큰 자극을 느끼고 있다. 이곳에서의 삶은 마치 매일 아침 새롭게 시작되는 예술 작품처럼, 나의 일상에 끊임없는 영감을 불어넣어 준다.

지금 나는 평생 꿈꾸어 온 삶을 살아가고 있는지도 모르겠다. 내가 그리는 미래의 미니 버전을 현재에 조금 맛보고 있는 셈이다. 뉴욕에서의 생활은 매 순간 도전과 변화로 가득했고, 이 모든 경험이 나를 성장시켜 지금의 나를 만들었다. 중요한 것은 내가 어디에 있는지가 아니라, 어떤 삶을 살아가고 있는가라는 깨달음이다. 새로움을 찾아 떠나는 여정이 아닌, 내 안의 새로움을 발견하는 여정. 더 이상 새로운 보금자리를 찾아 헤매지는 않지만, 나는 여전히 변화를 즐기고, 새로운 도전을 찾아 나선다. 뉴욕이 준 기회와 경험 덕분에, 나는 더 넓은 세상을 꿈꾸며 앞으로 나아갈 준비가 되어 있다. 모든 순간이 마치 미술관에 걸린 작품인 것처럼, 내가 작가로서 주체적으로 삶을 창조하고 싶다.

46

아픈 기억에서
인생의 빛을 만들어 가자

지영유머 (일본/가와사키)

인생의 반 이상을 일본에서 지내며, 현재는 관광안내소에서 일하고 있다. 일본어가 좋아 어학 공부를 위해 왔다가 한국에 다시 돌아가지 않고 결혼하여 그대로 살게 되었고 성인이 된 두 딸이 있다. 소심하고 내향적인 성격으로 조용히 한국말을 가르치는 일을 해 오다가 4, 5년 전부터 지금의 서비스업에 종사하게 되면서 많은 자극을 얻고 있다. MKYU를 만나 자신의 인생을 주인으로 진지하게 동시에 즐기며 살아가는 원동력을 발견했고, 요즘은 두 큐 두내 정원을 찾아다니며 내가 세상에 도움이 될 수 있는 길을 모색 중이다.

오랜만에 그날의 쇼킹했던 에피소드를 이야기하려 하니 부끄러운 마음과 감사한 마음이 동시에 든다. 부끄러운 마음이란 이후 얼마나 큰 변화가 있었는지 되돌아보니 그다지 진지한 태도로 살지 않았나 하는 반성이 들기 때문이다. 감사한 마음이란, 먼저 그 저주스러운 말과 대면하게 해준 그 분에 대한 감사, 그리고 당시에 나의 하소연과 억울함을 들어주고 위로해 주신 모든 분에게다. 특히 마냥 나를 믿어주고 조건 없이 내가 옳았다고 위로해 주신 분들 덕분에 상처는 아주 빨리 아물었고, 상처에서 새살이 빨리 돋아나왔다. 지금 다시 그때의 그 감사가 솟아오른다.

2023년 5, 6월 무렵. 관광안내소에서 일하기 시작한 지 4년여가 지나고 있었다. 일도 익숙해지고 관광 정보의 지식도 늘어나고 아랫사람도 생겨 가르치는 역할도 하는 상황이었다. 일본의 서비스업에서 일하는 사람들은 상당한 수준의 접객매뉴얼이나 마인드에 대해 교육을 받는다. 손님의 문의에 대해 "못한다. 모른다. 없다." 등의 부정적인 대답을 하지 않으며, 꼭 완곡하게 돌려 말하거나 다른 대안을 제안하도록 배운다. 미소와 밝은 인사, 경청의 태도, 손님의 말(필요하다고 말하는 needs)에서 진짜로 원하는 것(wants)을 찾아내 손님이 바라는 것 이상의 만족도를 높이는 것 등등. 나도 나름 성실하게 일을 해오고 있었다.

5, 60대 일본인 여성분이었다. 그분의 질문은 내가 전혀 모르는 처음 듣는 내용의 질문이었고, 여기저기 검색해 봐도 필요한 정보를 찾을

수가 없었다. 다른 스태프들도 바빠 보여 도움을 청할 수도 없는 상황. 구체적으로 뭐라고 답했는지는 기억이 나지 않지만, 정보가 없고 잘 모르겠다는 내용의 말을 전하자, 그 손님은 내게 "당신은 관광안내소에서 일하는 사람이잖아요. 당신의 그 표정은 주위 사람들을 불행하게 만들어요."라고 말하는 것이었다. 띵~ 뭐? 뭐라고요? 이건 뭐지? 멍했다. 손님에게는 기계적으로 "지적해 주셔서 감사합니다, 안녕히 가세요."라고, 일그러진 미소를 애써 지어 보이며 인사했다. 점점 제 정신이 돌아오면서 '당신이 나에 대해 뭘 아는데?'라며 억울했다. 하지만 서비스업 종사자에게 폭언을 하는 '커스터머핼러스먼트'라며 대수롭지 않게 여길 수가 없었다. 설령 몇 분 동안의 짧은 시간에 일어난 일이지만 그녀의 말에는 나의 현재, 실체를 나타내는 진실이 있었다.

그녀는 그 몇 분 동안 나의 표정 변화를 죽 관찰하고 있었으리라. 나는 '아니, 하필이면 이런 질문을 왜 나에게 하지? 검색해도 정보가 없잖아? 참.'하며 난감해하고, 당황해하는 표정을 여과 없이 정면에서 보여주고 있었다. 얼굴을 반쯤 가려주는 마스크가 그 부정적인 감정까지도 가려주리라 기대하고 있었는지도 모른다. 그 결과 나는 손님에게 미간의 찌푸림과 눈빛으로 '당신이 지금 나를 곤란하게 하고 있어.'라는 메시지를 던져버린 것이 아니었을까. 그 메시지를 알아챈 손님이 뽑아 든 매서운 칼이 '당신은 주위 사람들을 불행하게 만든다.'는 말이 아니었을까.

단순한 표정 관리의 문제를 넘어, 솔직하지 못한 태도가 빚어낸 자연스러운 결과였다. 인정받고 싶다는 마음. 일본어도 일본 문화, 일본 역사도 잘 알고, 고객을 대하는 태도에서도 잘한다는 인정을 받고 싶다는 그 마음들이 있는데, 그것들이 반대되는 모습으로 드러나려고 했을 때, 내가 모르는 것을 인정하고 손님에게 이것저것 물어보며 같이 손님의 원츠에 다가가는 용기도 결여되어 있었다. 특히나 표정 연출, 표정 관리가 무엇보다도 중요한 관광안내소에서 일하는 직업인데 말이다.

그 사건 이후로 거울을 조금 더 유심히 보았더니 세상에! 이마 미간에 주름이! 가끔씩 들어왔던 나의 찌푸린 인상에 대한 지적들이 줄줄이 떠올랐고 나이 40이 되면 자기 얼굴에 책임을 져야 한다는 그 이야기가 바로 내 이야기임을, 나이 40을 휘~훨씬 지나 50이 넘어 자각하기 시작했던 것이다.

"내가 생각하는 나와 세상이 인정하는 나 사이에 차이가 있을 때, 열심히 하는 데도 인정받지 못해 속상할 때, 화는 잠깐만 내고 야속한 사람들의 얼굴은 잊으세요. 그리고 '내가 고객이라면 나라는 브랜드를 선택할까'라는 질문 앞에 서세요."

- 〈내가 가진 것을 세상이 원하게 하라〉, 최인아 중에서 -

그래서, 표정 관리뿐 아니라 '나라는 사람' '나라는 인생' '나라는 브랜드'에 대해서도 더 솔직하게 들여다보고 있다.

텅 빈 무덤에서 일곱 색깔로 빛나는 무지개를 보았다고 어느 시인이 말한다. 그런 시를 나도 쓰고 싶다. 어떤 빛을 발견했는지, 그 빛을 가지고 어떻게 걸어갈 것인지, 솔직하게 질문하며 용기를 내어 도전해가고 싶다. 나는 이미 빛을 양손에 품고 있다. 왜냐면 시작이 반이니까.

47

캐나다에서
잊지 못할 출산 경험

캐나다 아하 (캐나다/런던)

한국에서 다문화가족지원센터 과장, 다문화 전문위원으로 일했던 내가 30대 후반에 캐나다로 유학을 떠났다. 캐나다인 남편을 만나 3개월만에 결혼하고 내가 다문화가족이 되었다. 캐나다에서 두 아이를 임신하고 출산, 육아하면서 힘들었던 경험을 바탕으로 <슬기로운 캐나다 육아 생활> 전자책을 발간했다. 캐나다살이 9년 동안 재외동포재단 해외 통신원, 유아 교사, 당근마켓 글로벌 팀 성장 마케팅 전문가, 한국어 교사로 일했다. 코로나 시기에 시작한 지역 네이버 카페, 캐나다에 사는 한국 엄마들을 위한 카카오톡을 운영 중이다.

나는 30대 후반에 캐나다로 유학하러 갔다가 캐나다인 남편을 만나 3개월 만에 결혼했다. 늦은 나이에 결혼했지만 40살에 첫째, 44살에 둘째를 자연분만으로 낳았다. 임신 기간 중에 큰 문제 없이 지냈는데 출산할 때 사건들이 있었다. 첫째는 2박 3일을 진통하고 조산사와 벌쓰 센터에서 수중분만을 시도하다 집으로 이동했다. 둘째는 산부인과 의사와 유도분만 일정을 잡고 마지막 검진할 때 자궁문이 2~3cm가 열렸는데 일주일이 지나도 소식이 없었다.

나는 첫째를 임신했을 당시 유학생 신분이라서 온타리오 의료보험(OHIP)이 없었다. 캐나다는 의료 서비스가 무료라고 하지만 오힙이 있어야 가능하다. 캐나다에도 한국의 조산사와 같은 미드 와이프가 있다는 정보를 듣고 몇 군데 센터에 예약했다. 며칠 후에 한 곳에서 연락을 받고 임신기간 중에 무료로 정기검진을 받을 수 있었다. 캐나다는 고위험군이 아니라면 임신 기간 중 초음파는 3번만 받을 수 있다. 출산을 위해 관장하지 않고 회음부도 절개하지 않는다.

드디어 이슬이 비쳤다. 일주일이 지나도 소식은 없었고, 임신 예정일 하루가 지나고 가진통이 시작됐다. 하루를 진통하며 잠을 못 자서 미드 와이프에게 연락했다. 가정방문으로 내진을 받았는데 2~3cm밖에 안 열렸다며 더 기다려야 한다는 말에 좌절했다. 미드 와이프가 아기에게 영향이 가지 않는 수면제 주사를 놔줘서 잠깐 잠이 들었다. 진통이 오락가락 찾아오는데 강도가 심해져서 미드 와이프에게 다시 연락했다. 미드 와이프가 집에 와서 내진하더니 벌쓰센터로 이동하자고 했던 시간이 새벽 4시쯤이었다.

미드와이프와 임신 후기에 출산 장소(가정, 벌쓰센터, 병원 중 택1)와 출산 방법을 상의했다. 자연주의 출산을 유도하기 때문에 무통 주사는 맞을 수가 없다. 나는 벌쓰센터에서 수중분만을 하기로 결정해서 도착하자마자 수중 분만을 준비했다. 진통이 없을 때 미드와이프가 아이스크림을 먹겠냐고 물어봐서 한 개를 받아 후딱 해치웠다. 수중 분만의 환상을 완전히 깬 순간은 화장실을 가려고 물속에서 나왔을 때 너무 추워서 온몸을 바들바들 떨었다. 한국처럼 분만실에 음악이 흐르고 따뜻한 조명과 온도는 기대하면 안 된다.

갑자기 미드 와이프가 상의할 일이 생겼다며 나에게 말했다. "10시에 벌쓰센터 빌딩 전체가 정전되는데 그 전에 아기가 안 나오면 병원이나 집으로 이동해야 해요." 내 마음이 조급해져서 진통이 올 때마다 힘을 줘봤지만, 아기는 나오지 않았다. 결국 미드 와이프 2명과 집으로 이동하는데 아기가 차 안에서 나올까 봐 걱정했다. 2박 3일의 진통은 아기가 나오자마자 끝이 났고 아기를 보는 순간 너무 행복했다. 캐나다는 산후조리원이 없어서 아기를 낳은 날부터 육아의 길이 시작되었다.

첫째가 3살이 되었을 때 어린이집을 보내면서 둘째를 계획하고 6개월 만에 임신했다. 패밀리 닥터가 없어서 워크인 클리닉에 가서 산부인과 의사 연결을 요청했다. 종합병원에서 근무하는 의사가 빠르게 연결되어 기뻤다. 모든 검사를 병원 내에서 받을 수 있어서 너무 편했다. 정기검진을 받고 바로 의사를 만나서 결과를 들을 수 있어서 좋았다. 캐나다는 초음파와 피검사를 개별적으로 예약하고 검사받고 의사를 만나서 결과를 들을 수 있다. 나는 첫째를 너무 힘들게 자연분만으로 낳아서 둘째는 제왕절개로 낳고 싶다고 의사에게 말했다. 의사가 둘째는 더 빨리 나온다며 출산 예정일 한 주 전에 유도분만을 시도해 보자고 했다. 출산 전 마지막 정기검진 때 내진했는데 자궁문이 2~3cm가 열렸다며 아기가 빨리 나올 수도 있다고 했다. 그런데 둘째도 일주일이 지나도 소식이 없어서 유도 분만일에 출산하러 갔다. 친절한 의료진과 분만 준비하면서 분만실을 둘러봤는데 편안했다.

나는 무통 천국이라도 맛보고 싶어서 간호사에게 꼭 무통 주사를 맞겠다고 했다. 간호사가 유도제를 넣을 때마다 진통 강도를 체크했는데 내가 자궁문이 5~6cm 열릴 때까지 잘 참았다. 그러다 견딜 수 없는 진통이 왔을 때 무통 주사를 맞았더니 모든 고통을 다 느끼고 둘째를 낳았다. 첫째를 낳을 때는 출산 관련 공부도 안 하고 힘만 주면서 소리를 질렀다. 이번에는 진통이 올 때 호흡법과 힘주는 요령을 공부하며 준비했더니 3번 힘주고 너무 쉽게 아기를 만났다.

아기 낳은 후 간호사가 쨈이나 땅콩버터 바른 샌드위치와 주스를 먹을 거냐고 물어봤다. 땅콩버터 샌드위치를 선택했는데 정말 딱 2장의 빵과 주스만 주었다. 따뜻한 미역국이 생각났는데 알고 지냈던 언니가 남편을 통해 들깨 미역국과 김밥, 붕어빵을 보내주었다. 눈물의 미역국을 먹는 것도 잠시 아기에게 모유 수유를 시작해야 했다. 의료진이 아기와 나의 건강 상태를 체크해 주고 각종 지역 정보를 알려주었다. 아기를 낳고 하루 만에 병원에서 퇴원하고 두 아이의 육아가 시작되었다.

48

슬기로운 오늘

케이트 (미국/로스앤젤레스)

에너지 레벨이 다른 여자 케이트이다. 미국 교포와 결혼하여 미국 LA에서 살고 있고, 두 개의 북클럽 중 낭독 북클럽에서는 리더로 활약하고 있다. 4년 동안 100여 권 넘는 책을 읽으며 지적 성장을 키우고 있으며 10월에는 일러스트 전시회를 앞두고 있다. 직접 그린 그림으로 매해 달력을 제작한다. 꾸준한 운동으로 몸을 단련하며, ZOOM을 통해 운동 코치로 활동하는 다재다능한 N잡러이다 (부케: 코치-Kate). 규칙적인 운동과 독서로 에너지 레벨은 더욱 높아졌고, 한국에서처럼 석극적이며 긍정적인 삶을 살아가고 있다.

해외에서 생활하며 가장 인상 깊었던 순간 중 하나는 '암 환자들이 생을 마칠 때까지 자신의 일을 하며 보통의 삶을 누리는 모습'이었다. 처음에는 이해하기 어려웠다. '암에 걸렸고, 수술까지 했는데 출근이라니? 쉬어야 하는 것이 아닌가?'라는 생각이 들었다. 그러나 암 환자들이 공기 좋은 곳으로 떠나기보다는 각자의 자리를 지키며 일을 하는 모습을 보면서, 그들에게는 책임감과 공동체 소속감이 항암 치료제 역할을 한다는 것을 깨닫게 되었다.

약 160명의 직원이 일하는 유대계 회사에서 근무하는데, 내가 속한 부서는 10명 정도의 직원이 함께 일하고 있다. 그중 두 명은 암을 앓고 있음에도 불구하고 항암 치료를 받으면서 출근을 계속하고 있다. 이들은 처음 발병이 아닌 2차, 3차 재발한 분들이다. 아마도 암에 걸렸지만 이를 알리지 않고 일하는 사람도 분명히 있을 것이다. 미국에서는 법적으로 병이 있다고 해서 출근을 못 하게 할 수 없지만, 아프면 병가를 내고 얼마든지 쉴 수 있는 상황이다. 그럼에도 불구하고 항암 치료를 받으면서도 출근하는 동료들의 모습을 보며 나는 감동하였다. 예를 들어, 폐암을 앓고 있는 한 동료는 코로나19 기간 마스크를 두 장씩 겹쳐 쓰고 출근했다. 정상인도 두 장의 마스크를 쓰면 숨쉬기가 쉽지 않은데, 폐암 환자인 그녀가 얼마나 더 힘들까 싶었다. 또 머리에 두건을 1년 반 정도 쓰고 다녔는데, 이제는 머리카락이 정상적으로 자라고 있다. 물론 암이 발병했다고 해서 모두가 계속 회사에 다니는 것은 아니다. 퇴사한 분들도 계시는데, 안타깝게도 그분들은 몇 년 후 돌아가셨다는 소식을 들었다.

아이들 학교에서도 백인 엄마가 유방암에 걸렸는데, 하늘의 별이 되기 일주일 전까지 아이들을 보살폈다. 또 내가 다니는 교회의 목사님은 암 수술 후 10년 넘게 지금까지도 쉬지 않고 목회를 하고 계신다. '치료가 잘돼서 그렇지' 생각할 수 있지만 근처 교회의 목사님은 암이 발병하시고 수술 후 목회를 쉬시며 치료를 받으시다가 부르심을 받으셨다. 이 외에도 많은 분들의 사례가 있지만, 신기한 것은 암을 가지고 있으면서도 각자의 자리에서 각자 맡은 일은 하시는 분들이 더 오래 생존하는 것 같다는 점이다. 자신의 자리에서 책임감 있게 일하며 공동체에서 느끼는 소속감은 그 어떤 약보다 효과가 있는 것이 아닐까? 추측해 본다.

미국에서 생활하며 암을 앓고 있는 사람들의 모습을 보며 나는 많은 생각을 하게 되었다. 그들은 병을 이유로 삶을 멈추지 않고, 오히려 더 적극적으로 일상과 일을 이어 나갔다. 이런 모습을 통해 나는 진정한 강인함이 무엇인지 깨달았다. 그것은 어떤 어려움이 닥치더라도 자신의 자리를 지키고 맡은 일을 다하는 책임감과 공동체의 일원으로서의 소속감을 잃지 않는 것이다.

나 역시 미국에서 생활하며 작은 아픔에도 서러워하고 외로워했던 순간들이 많았다. 그러나 암이 있는 직장 동료들을 보며 우리 앞에 어떤 어려움이 닥치더라도, 내 앞에 큰 파도가 밀려오더라도, 그 파도를 이겨내는 힘은 슬기롭게 오늘을 살아내는 것이라는 것을 깨달았다. 나와 이 책을 읽고 있는 모두는 지금도 잘 살아가고 있고, 앞으로도 더 잘 살아갈 것이다. 오늘을 충실히 살아가며, 더 빛나는 내일을 만드는 슬기로운 오늘을 살아내기를 바란다.

49

낯섦,
변화의 여정으로 인한 선물

코코 (일본/도쿄)

학창 시절부터 매일 변함없이 반복되는 것이 무지하게 싫었다. 잡지사에서 그래픽 디자이너로 일하면서 반복되는 일상에 지쳐서 뭔가 새로운 변화가 있었으면 하고 있을 때, 다른 나라로 눈을 돌리게 된다. 23년 전, 일본으로의 어학연수를 계기로 이곳에 정착하게 되었다. 해외살이가 15년쯤이 되었을 때 출산과 육아의 기쁨을 맛보게 되었고, 지금은 초등 저학년 엄마로서의 삶을 살아가고 있다. 그렇게 시작된 나의 해외 생활은 지금까지 다양한 문화와 가치관을 읽게 되었고 아이의 성장을 통해서 새로운 관점과 가치관을 또 발견하고 있다.

한국은 겨울을 따뜻하게 나기 위해 집을 짓고 일본은 여름을 시원하게 나기 위해 집을 짓는다는 말이 있다. 그래서인지 일본은 4월쯤에도 집안은 썰렁하니 춥다. 밖은 해가 있어서 오히려 따뜻하다. 한겨울도 아니니 난방을 켜기도 애매한 시점이다. 빵을 굽고 난 뒤 잔열이 남아있는 토스터에 손을 넣어 시린 손을 데우다가 잘못 움직여 손이 데기도 하였다. 일이 너무 피곤하여 집으로 돌아가는 전철에 앉아 졸다가 복조리처럼 입구가 위로 뚫려있는 가방에 머리가 들어간 채로 깨어나 고개를 들어봤을 때 내 주변에는 사람이 없었다. 피해받는 것 피해주는 것을 싫어하는 일본인들은 그런 이상한 나를 피해서 앉았다고 여겨진다.

이곳 사람들은 자신들과 관계없는 것에는 적극적으로 관심을 두지 않는다. 그저 흘끗 엿보기만 할 뿐이다. 여자 둘이 부피가 큰 물건을 들고 전철 플랫폼으로 계단을 힘겹게 올라가더라도 누구 하나 신경 쓰지 않는다. 지금 생각하면 엘리베이터를 찾아 타고 올라갔으면 되는 것인데 그땐 그것조차 낯설어서 몸으로 부딪치는 경우가 많았다.

출근 시간이 임박하여 전철 계단을 허겁지겁 올라가 출발 전 전철에 타려는데 문이 그만 닫혀서 그 닫히는 문에 가방끈이 끼어 버렸다. 가죽끈이 전철의 문 가장자리 실리콘에 끼여 꼼짝달싹 안 하고 전철이 출발을 위해 서서히 움직였다. 가방을 버려야 하나 온갖 생각이 스쳐 지나갔지만 매달려 같이 갈 수밖에 없었다. 다행히 슬슬 속도를 내기 시작하려던 전철이 멈추고 문이 열려서 가방을 뺄 수 있었다. 부끄러움과 안도가 깊은 한숨으로 나왔다.

밤 10시쯤에 일이 끝나지 않으니, 집에 가서 목욕하고 다시 오란다. 늦은 시간 퇴근 전철을 타고 씻고 옷을 갈아입고 막차에 가까운 전철을 타고 다시 출근하였다. 내가 외국인이기 때문에 배려한 거라고 했다. 돌아와 보니 다른 직원들은 여자를 포함해서 그냥 회사에서 일을 하고 있었다. 밤 9시나 10시쯤 마쳐서 나오게 되면 "오늘은 좀 빨리 마쳤는데 누구랑 좀 만나 식사라도 할까?" 이런 생각에 기분이 들뜨기도 했다.

세상에서 젤 무서운 치과. 두근두근하며 치과에 갔다. 의자에 누워 기다리는데 "사토우라고 합니다. 잘 부탁합니다" 귀를 의심했고 적잖이 놀랐던 기억이 난다. 의사가 환자에게 인사를 하네?!. 살면서 처음 느껴 본 신기한 경험이었다. 서비스 정신이 아주 대단하다. 지금 보면 모든 병원이 다 그렇진 않지만, 일본에서의 첫 치과는 깍듯하고 친절하게 인사한 치과의 덕분에 아주 인상에 깊게 남아있다.

지금의 교회를 처음 간 건 아르바이트하던 회사의 정직원이었던 언니의 결혼식이었다. 생전 그런 유쾌하고 감동을 주는 결혼식은 처음 봤다. 결혼식을 보면서 눈물을 흘릴 줄이야. 그 뒤로 사람들이 너무 좋아 한두 번씩 교회를 나가다가 성경 공부를 하게 되고 세례를 받았다. 이 결정은 내 인생을 근본적으로 바꿔 놓았다. 나의 삶이 그렇게 또 변화를 맞이했다. 일본에 오지 않았다면 아마도 난 크리스천이 되지 못했고 되지 않았을 것이다. 감사하게도 믿음의 생활을 지금까지 이어오고 있다.

도전과 변화의 연속으로 가득 찬 여정은 초기의 문화적 충격부터 영적 구원에 이르기까지 매 순간이 예상치 못한 방식으로 내 삶이 이끌려갔다. 해외 생활을 통해 얻게 된 삶의 회복력과 교회 공동체 내에서 형성한 관계는 나에게 깊은 영향을 미쳤다. 유학을 결심한 것은 매너리즘에 빠진 일상의 변화에 대한 열망 때문이었고, 일본에서의 삶은 그것을 풍부하게 제공해 주었다. 이 여정을 되돌아보면서 모든 삶에서의 투쟁과 승리가 내가 상상한 것보다 더 풍요롭고 의미 있는 삶을 만드는 데 이바지했음을 느낀다. 무언가를 배울 수 있다는 점 그리고 하나님께서 주신 삶을 즐길 수 있다는 점에서 매너리즘에 빠졌던 나의 일상은 해외살이라는 변화의 여정을 통해 감사하게도 아름다운 과거, 현재를 선물 받았다.

50

변방에서 지평으로

클라라 (미국/시카고)
책 읽기를 좋아했다. 여중생 때 읽었던 리처드 바크의 <갈매기의 꿈>에서 "가장 높이 나는 새가 가장 많은 것을 본다"라는 문구에 쏠렸다. 자신의 꿈을 찾아 더 높이 더 멀리 나르며 도전과 꿈을 키우고 고난을 이기던 그를 지금도 좋아한다. 간호사로 근무하다가 취업 이민으로 미국에 왔다. 면허증 딴 후 일하다가, 결혼, 출산, 정년퇴직 후 우연히 '시조새'로 등록했다. 많은 젊은 친구들을 만났고 그들 안의 열정에 감동하며 내 나이를 잊은 채 이곳까지 따라왔다. 현재는 독서클럽과 여성회 클럽, 교회 등에서 봉사하며, 사이버 대학에 다니고 있다.

해외에서의 삶은 '길거리에 묘지가 있는 전경'과 주말이면 펼쳐지는 'Garage Sale' 등 새로운 경험과 사건들이 많았다. 가장 충격적이었고 지금도 잊히지 않는 기억은 미국 온 지 3주 후에 교통사고로 사망한 직장 동료의 웨이크(Wake) 세레모니에 참석했던 일이었다.

이 의식은 Open Casket으로 시신이 놓인 관이 개방되어 참석자들이 망자의 마지막을 볼 수 있는 시간이었다. 망자를 기리기 위해 사랑과 존경의 마음을 담아 열리는 장례 전야에 치러지는 마지막 인사와 함께 그를 가장 가까이에서 추모할 수 있는 의식이었다. 검은 예식 복을 입은 가족들과 친구들이 모여 망자를 존경하는 마음으로 추앙하며 그와의 추억을 기억하면서 그를 되돌아보며 부활을 기원하고 가족들이 마음을 추스를 수 있게 하는 의미 있는 의식이었다. 망자는 곱게 화장하고 자신이 평소에 가장 좋아하는 옷을 입고 관에 45도 각도로 누워 있었다. 그 옆에는 빨간 장미꽃의 스탠드 꽃들과 여러 가지의 화려한 꽃바구니들로 장식되어 있었다.

그날 추모객들은 150명 정도 모였었다. 의식은 고인이 평소에 다니던 교회 목사님의 주도로 기도와 찬송, 고인의 약력 소개 등 종교적 의식으로 진행되었으며 고인이 평소에 봉사자로 나갔던 보육원과 양로원의 이력을 치하하고 추모하며 그의 영혼 안식을 위한 축복을 빌어주었다. 사람들은 뒤쪽부터 차례로 나와서 4명씩 짝을 맞추어 망자에게 예의를 갖추어 잠시 인사와 기도를 하고 그 옆에 슬픈 모습으로 나

란히 줄 서 있는 가족들을 껴안거나 손을 잡아주거나 묵례로 애도의
인사를 하고 돌아갔다.

눈이 통통 부어있는 남편의 모습과 검은 양복과 검은 타이를 한 5살
짜리 아들이 "Mommy! Wake up!" 하며 엄마를 흔들어 깨우던 처연
함은 시체를 보는 소름 끼치게 섬뜩하고 무서웠던 기억과 함께 아직
도 내 마음 안에 주마등처럼 남아있다.

이 의식은 나에게 망자를 추억하며 슬픔을 나누기보다는 고인의 생애
에 대한 아름다운 추억을 공유하며 슬퍼하지만 않고 죽음이 끝이 아
니라는 것과 그 사람을 존중하고 기억하기 위해 모인 취지임을 상기
시켜 주는 시간이었다.

친지와 친구들이 서로가 서로에게 친구를 잃은 슬픔과 허전함을 달래
며 위안과 위로의 다독임으로 따뜻하게 마지막 인사를 하였다. 의식
이 끝난 후에는 참석한 이들을 위해 준비한 간식과 음료로 가족들과
친구들이 그룹으로 모여 대화를 이어 갔다.

또 한쪽에서는 고인의 사진과 영상이 전시된 자리였는데 따뜻한 사랑
으로 망자의 삶을 재조명하고 그의 자존감을 높게 올려 주며 작별하
는 모습에서 감동과 함께 선진국의 깊은 면모를 느끼게 해 주었다. 잘

사는 것보다 잘 죽는 것이 더 중요한 것임을 느끼게 했으며. 삶과 죽음에 대한 생각의 교차가 오랫동안 깊게 머물게 했다.

이 의식을 보면서 어떻게 해야 좋은 삶을 살게 될까? 더욱 가장 중요한 것은 '어떻게 해야 잘 죽는 것일까?'라고 생각하게 했다. 좋은 죽음이란 신앙심이 있어야 하고, 평소에 가족들, 친구들과 좋은 관계가 우선이 되어야 한다고 생각되었다. 그리고 이웃에게 긍정적인 선한 영향력을 나누며 책을 통한 내면의 가치와 목표를 설정하고 도전과 내려놓음의 겸허함으로 내면을 성장해 가려는 노력의 자세와 감사가 커지는 지표를 유지함이 아닐지 생각되었다. 이러한 내, 외적인 경험을 통해 나는 한국과 미국의 문화 차이를 이해하는 새로운 시각과 정체성을 확고히 갖게 되었다.

미국에서의 생활은 나에게 문화 차이뿐만 아니라 여러 가지의 경험과 성장의 기회를 통해 나 자신의 여정을 좀 더 성숙하게 이끌어 가게 하는 원동력이 되게 하였다. 다양한 경험으로 세계를 더욱 폭넓게 이해하고 바라보는 덕목을 키우게 했으며 늘 배우는 자세로 어제보다 나은 의식으로 조금씩 변화하며 여유롭고 겸허한 삶이 되도록 노력하게 했다.

51

양과 함께 자유를 즐긴다.

톡톡키위 (뉴질랜드/인버카길)

뉴질랜드에서 19년째 살고 있다. 뉴질랜드에 영어 공부하러 왔다가 성경모임에서 남편을 만나 국제결혼을 한 커플이다. 큰 도시에 살다가 가족들과 더 많은 시간을 보내고, 자연에서 살고 싶은 마음에 5년 전 시골인 인버카길로 이사했다. 어떻게 살지 걱정해 주는 친구들이 있을 정도로 이곳은 한적한 동네이다. 아이들은 제임스 하기스트에 다닌다. 요즘 3대가 같은 학교에 다니는 것은 매우 드문 일인데, 아이들이 할아버지, 아빠가 다니던 학교에서 자긍심을 갖고 더 체계적인 교육을 받고 있어 감사하다.

많은 사람들이 뉴질랜드 하면 넓은 초원에서 양들이 풀을 먹고 있는 모습을 상상한다. 시골 인버카길로 와서 우리 가족이 소일거리로 시작한 것이 바로 양 키우기였다. 엄마 양, 아기 양 각각 2마리 그리고 엄마가 돌보지 않는 새끼 양(Pet Lamb) 1마리로, 작게 부업으로 시작했다. 아이들이 펫램에게 '크리스탈'이라는 예쁜 이름을 지어졌다. 크리스탈은 일반 양들과 다르게 코와 눈, 무릎이 검어서 쉽게 구별된다.

'귀여운 새끼 양에게 직접 분유를 먹일 수 있겠구나' 하는 기대감으로 처음에는 마냥 설렜다. 새끼 양은 자라면서 분유 주는 시간과 양이 매번 달랐다. 남편과 아이들이 도와주지만, 현실적으로 내 일이 되어버리니 조금씩 귀찮아질 때도 있었다. 밥때가 늦어지면 배고파서 울어대는 어린 양의 애절한 소리에 정신이 번쩍 들어 분유를 급히 만들어서 새끼 양에게 달려가기도 했다.

'얼마나 배고팠니?'

'내일은 늦지 않게 제시간에 올게.'

'잘 자라줘서 고마워. 그리고 우리 식구가 되어줘서 고마워.'

직접 분유를 주면서 자잘한 대화도 어김없이 함께 나눈다.

펫램은 사람을 무서워하지 않는다. 아기였을 때부터 사람이 주는 분유를 먹고 자란 덕에 오히려 우리 가족을 엄마인 양 졸졸 따라다닌다. 문을 열어두면 집으로도 들어오고, 아이들과도 친구처럼 잘 논다. 따라다니는 모습이 여간 귀엽지 않다. 기분이 좋을 때는 펄쩍펄쩍 뛰기도 한다.

펩램이 자라서 일반 양 무리에 보내지면 어린 양이 적응을 못 하고 주인집 쪽을 바라보며 며칠 간은 계속 울어댄다. '이곳이 싫어요. 저 좀 데려가 주세요' 울부짖는 것 같다. '괜찮아, 힘내~'라고 말해주고 싶지만, 크리스탈이 다른 양들과 빨리 적응하고, 자연스럽게 어울리려면 안타까운 나의 마음도 잠시 내려놔야 한다. 자연에서 풀을 먹고 자란 양들도 사람 손이 탄 크리스탈이 가까이 가면 머리로 밀어서 양 무리에서 내쫓는다. 혼자서 모퉁이에 쭈그리고 앉아 있는 크리스탈을 보면, 이 시간이 빨리 지나가서 다른 양들과 잘 무리 지으며 지낼 수 있기를 바랐다. 사람들은 고아를 보면 도와주고 싶은 마음이 자연스럽게 생기는데, 동물 세계에서는 철저히 상하관계가 구별되는 것 같다.

8, 9월에는 새끼 양이 태어나는 달이다. 바깥 날씨가 아주 추워서 혹시라도 새벽에 태어나는 어린 양이 있을까 봐 나와 남편이 돌아가면서 엄마 양의 상태를 살핀다. 과거에 여러 번 새끼 양을 잃은 적이 있어서 이제는 제법 요령이 생겼다. 추운 날 밖으로 나가려면 차가운 공기와 마주하고 싶지 않은 날도 있지만, '혹시라도 새끼 양이 태어났으면 어떻게 ~'하는 걱정 어린 마음으로 생각을 바로잡고 문을 나선다.

크리스탈이 잘 성장해서 출산이 임박했던 첫해였다. 밖으로 아침 운동을 하러 나갔다가 멀리 하얀 물체가 보여서 불길한 마음에 단번에 뛰어갔었다. 차가운 땅 위에 넘브려져 있는 모습을 보니, 눈과 코 주변에 검은 반점을 갖고 있는 크리스탈 아기 양이었다. 이른 새벽에 태어나서 추위를 견디지 못하고 2마리가 모두 죽은 것이다. 우리 가족은 크리스탈 아기 양이 어떤 모습일지 많은 기대를 하고 있었는데, 농장 일이 서툰 나와 남편의 부주의로 아기 양들이 모두 죽게 된 것 같아 너무 속상했다.

다음 해에는 '크리스탈 아기 양들을 꼭 지켜주자'라는 생각으로 단단히 각오했다. 눈이 오는 날, 예정일을 한 달이나 앞당겨서 새끼 양들이 태어났다. 한 마리는 벌써 죽어 있었고, '목숨이 위태로운 나머지 한 마리는 어떻게든 살려보자'라는 심정으로 애지중지 따뜻하게 돌봐주었지만, 추운 날 오랫동안 밖에서 머물러 있던 탓에 발작을 하기도 했고, 조금씩 일어날 수 있을 정도로 에너지가 차츰 올라오는 것 같았으나 결국 하늘나라로 가버렸다.

여러 해 동안 양들을 키우면서 산달이 가까이 오는 8, 9월은 나와 남편의 신경도 예민해진다. 어느 날 아침, 만삭으로 누워있는 양을 발견했다. 정확히 언제부터 진통이 시작된 건지 몰라서 '새끼 양이 잘 나오겠지!' 기대하며 마냥 기다리고 있었다. 엄마 양이 마지막 혼신의 힘을 다하는 모습을 보고는 '곧 양이 나오겠네' 싶었는데 아쉽게도 뱃속의 어린 양들과 함께 엄마도 죽음을 맞이했다. 주위에는 도움을 요청할 만한 사람도 없었고, 손을 넣어서 새끼 양을 빼야 한다고 들었던 기억도 있었지만, 너무 무서워서 할 수 없었다. 회사에 출근한 남편에게 급히 전화를 걸어 빨리 오라고 재촉했을 때는 이미 늦었다. '경험이 많은 나였더라면 어떻게 했을까, 어떤 행동을 취했을까?' 혼자 질문하고 대답하는 시간이 길어졌다. 답을 찾기 어려울 만큼 그 기간의 슬픔이 나를 가득 채웠다. 양을 키우고 함께 하는 시간이 길어지면서 자연의 세계를 조금씩 이해하게 되었다.

양들과 함께한 시간과 경험들은 나에게 소중한 추억이 되었다. 처음에는 '농장 일을 어떻게 해'하며 선뜻 받아들이지 못했지만, 외국에서 다양한 상황을 겪다 보니 '할 수 없어'가 아니라 '어떻게든 해보자'라는 생각으로 점차 바뀌었다. 편안한 휴식 공간이 되어버린 자연 속에서 동물들과 살아가는 나의 모습이 가끔은 낯설기도 하지만, 그곳에서 언제나 동심의 마음을 간직할 수 있어 감사하다.

52

시드니에서 교육하기,
엄마의 두 얼굴

티나O (호주/시드니)

휴양차 왔었다. 찬란하고 예쁜 하늘, 넘실대는 파도, 이에 맞추어 철썩대는 화려하고 다양한 파도 소리~

마치 지휘자의 지휘봉에 따라 연주하는 오케스트라 같았다. Waverley Cemetery의 고인들을 관중 삼아 등지고, Clovelly Beach 언덕에 서서 바다를 바라보고 있던 나는, 압도적인 이 오케스트라에 취한, 작은 지휘자였다. 그렇게 첫눈에 사랑에 빠진 이곳이 내 삶의 제2의 무대가 되었다. 방송국에서 치열하게 살아온 나의 20대를 정리하고 온 이곳, 세 명의 천사와도 같은 아이들의 극성스러운 엄마의 삶을 얼떨결에 살았다. 이제는 매일매일 나를 리프레임 하며 성장하려 노력하고 그것에 감사하는, 마음만은 '20 again' 엄마이다.

시드니에서의 삶은 내게 보물 셋을 선물했다. 보물 1호, 2호, 그리고 3호는 이곳에서 태어났다. 한국 삶에서 경쟁이 치열했던 내 세대와는 다른 교육을 받게 하고 싶었다. 나는 깨어 있는 쿨한 엄마가 되고자 했고, 아이들에게 학업보다는 스포츠, 예술, 방과 후 활동을 즐기게 하고 싶었다.

시드니의 교육제도는 다양하다. 주정부가 운영하여 무료로 다닐 수 있는 공립학교와 비용은 들지만 더 좋은 시설을 제공하는 사립학교 그리고 국제학교가 있다. 운 좋게도 내가 사는 지역은 강남 8학군과 같이 인기 있는 공립학교들이 많이 있는 나름 좋은 동네였다. 아이들이 유치원부터 다녔던 집 근처의 공립학교는 스포츠, 예술은 물론 학업 성과도 우수한 학교였다. 특히, 내가 이 학교가 맘에 들었던 부분 중 하나는 Special Education Class가 학교 내에 있어서 신체나 정신, 학업 부문이 좀 늦어지거나 불편한 아이들도 일반 반 학생들과 학교 생활을 자연스럽게 같이 나눌 수 있다는 점이었다. 내가 굳이 가르치지 않아도, 아이들이 어릴 적부터 스스로, 이상한 친구가 아닌, 나와 좀 다른 친구들에 대한 수용을 당연시한다는 점이 좋았다.

아이들은 학교생활에 잘 적응했고, 방과 후 활동에도 적극적으로 참여했다. 나는 아이들에게 한국어 교육은 신경 썼지만, 일반 학업은 관심을 두지 않았다. 하지만, 큰 아이가 초등학교 3학년이 되면서 학업에 대한 새로운 정보가 귀에 들어오기 시작했다. 수영 챔피언이 되고 우등반에 들어간 것이 계기가 되었다. '아이가 더 잘할 수 있는데, 무지한 엄마의 무관심으로 아이에게 주어질 더 많은 기회를 놓치게 하진 않을까?'라는 걱정이 들었다.

호주는 주 정부가 교육에 관한 전반적인 부분을 담당하기 때문에 주마다 조금씩 정책이 다르다. 내가 살고 있는 Sydney가 속한 NSW(New South Wales)주는 아카데믹한 영재들을 위해서 공립학교에서는 초등과정에 Opportunity Class(OC Class)를 4학년 때 입시를 통해 선발하여 교육하고 있으며, 6학년 학생들은 입시를 통해 하이스쿨 과정인 7학년부터 Selective School이라는 영재학교를 운영하고 있다, 이에 해당하는 영재 학교들은 해마다 대학입시를 비롯한 각종 입시에서 최상위권을 석권하고 있다.

다문화 사회인 호주에서는 학업과 예술, 특히, 스포츠에 뛰어난 아이들이 인기가 많다. 중국이나 인도 출신의 엄마들은 학업에 대한 열정이 대단했고, 나도 아이들에게 OC Class나 Selective School 시험을 볼 것을 제안했다. 어린아이들은 잘 따라 주었다, 이후로 나는 학업에, 운동에, 악기에⋯ 세 아이 픽업만 하루 평균 100km를 다니는, 우리집 운전기사가 되었다. 또 다른 모양의 경쟁 교육으로 아이들을 몰고 가고 있었다. 그것이 아이들이 원하는 행복이라고 굳게 믿고 있었지만, 착각이었다. 나의 욕심이었다. 바쁜 일정에도 번아웃 되지 않고 성실히 목표를 이룬 1, 2, 3호 모두에게 정말 고마웠고 미안했다. 자연을 벗 삼아 아이들을 맘껏 뛰어놀게 하며 쿨하게 키우려 했던 예전 나의 다짐은 어디로 갔을까?

나는 아이들이 스스로 자신의 길을 찾을 수 있도록 보물 1호부터 점차 내 손을 떠나가게 해주기로 결심했다. 보물 3호, 막내의 하이스쿨 테스트를 끝으로, 아이들에게 집중했던 나의 욕심과 집착을 버리고 그들이 스스로 앞길을 결정하게 했다. 보물 1호는 하이스쿨 시절, 작은 방황을 했다고 고백했다. 하지만, 결국 자신의 길을 잘 찾았고, 2호와 3호도 각자의 길을 걸으며 잘 성장하고 있다. 이후 나는 아이들의 모든 앞길을 하나님께 맡기고, 나만의 의미 있는 일을 찾아 나섰다.

아이들이 자주적으로 잘 성장하고 있는 것을 보며, 그들이 선한 영향력을 끼치는 어른으로 잘 성장하길 기도한다. 아이들을 좀 더 일찍부터 자유롭게, 믿고 맡겨 두었다면, 이 AI(인공지능) 시대에 좀 더 창조적인 사람으로 성장하지 않았을까 하는 아쉬움이 남는다. 그러나 나는 이제 안다. 아이들의 재능과 관심사를 존중하는 것이 그들이 진정으로 행복해하는 길을 찾는 데 중요하다는 것을. 그리고 그것이 바로 내가 아이들에게 줄 수 있는 값진 선물 중에 하나라는 것을.

53

가족 울타리 넓히기

패미로얄 (캐나다/알버타)

대학 시절 배낭여행을 하면서 캐나다의 매력에 푹 빠졌었다. 로키산에 걸려있는 하얗고 풍성한 구름이 어찌나 멋지던지, 인생 황혼기에 접어들면 영감하고 손잡고 다시 오고 싶다는 엉뚱한 생각을 했었다. 감사하게도 결혼 후 캐나다에 건너와 세 아이와 미래의 영감과 함께 이 멋진 하늘을 매일 보고 있다. 패미로얄은 알버타 작은 시골 마을에서 피아노 선생님으로 일하고 있으며, Edson Learning Centre에서 family literacy program을 진행하고 있다. 2024년부터 음악 동화책 작가로도 활동 중이다.

둘째 아이가 3살쯤 되었을 때 놀이터에서 있었던 일이다. 신나게 그네를 타던 아이가 무엇 때문에 골이 났는지 입을 삐죽거리며 내 옆에 앉아 잘 꼬아지지도 않는 앙증맞은 팔을 양쪽으로 꼬며 뾰로통하게 이야기했다.

"나도 할머니 두 개 있는데! 맞지? 엄마!"

할머니와 함께 놀이터에 나온 다른 아이들이 무척이나 부러웠나 보다. 더 정확히는 손주를 바라보는 따뜻한 할머니 눈빛이 부러웠던 것 같다. 양가 할머니를 두 개라고 표현한 아이가 귀여워 피식 웃음이 났지만 동시에 가슴 한구석이 먹먹해졌다. 외로움은 어른뿐만 아니라 아이에게도 같은 무게로 다가오는 숨길 수 없는 감정이었다. 그래서 이민자들은 한인이라는 이유 하나만으로도 서로에게 이모, 삼촌이 되어준다. 한인이 없는 알버타로 이주하며 고민이 많았다. 아이들이 또다시 우리뿐이라는 외로운 감정을 느끼게 될까 봐 겁이 났다. 그러나 우리는 이곳에서 대가족을 만들 수 있었다.

낮은 울타리를 경계로 우리 옆집에는 80대 후반 로버트 할머니, 할아버지가 살고 계셨다. 손과 머리를 심하게 떠시는 할머니는 파킨슨병을 앓고 계셨고, 할아버지는 초기 치매 환자셨다. 할머니 댁을 중심으로 반대편 집에는 우리 아이들과 동갑내기 남매를 키우는 스미스 가족의 작은 집이 있었다. 언니 오빠들이 등교하고 나면 양쪽 집안 막내 공주님들은 마치 약속이라도 한 듯 중간 지점인 할머니 뒷마당으로 모였다. 이곳은 아이들의 유치원이었으며, 재미있는 놀이동산이었다. 게다가 시종일관 관심과 사랑의 눈빛으로 아이들을 따라다니는 할머니, 할아버지가 계신 곳이었다. 따뜻한 햇빛이 언 땅을 녹이는 봄이 되면 로버트 할아버지와 할머니는 분주하게 텃밭을 갈고 콩 덩굴을 위한 지지대를 설치하셨다. 아이들은 흙장난하다가도 할머니가 배급해 주시는 작은 콩을 받으면 제법 진지하게 열심히 콩을 심었다. 콩이 주렁주렁 열리는 여름이 되면 아이들은 더 자주, 더 늦게까지 할머니 댁에 머물렀다. 고사리 같은 손으로 얼마나 콩을 빨리 까먹는지 텃밭에 콩이 모두 없어질까 봐 겁이 날 지경이었다.

겨울이 되면 알렉스 할아버지의 존재감은 빛을 더했다. 안전한 등굣길을 위해 새벽부터 눈을 치우시고 소금과 흙을 적당히 섞어 꼼꼼하게 도로에 뿌리셨다. 할아버지 손에 들려진 눈삽은 마치 포클레인 같았다. 밤새 내린 눈을 끌어모아 텃밭 한가운데 거대한 눈산을 만들어 놓으셨다. 이 산은 철저하게 계획된 할아버지의 프로젝트로, 아이들이 꼭대기까지 올라갈 수 있도록 만들어진 완강한 경사와 스피드 있게 미끄러져 내려올 수 있는 급경사로 이루어진, 3살 아이들에게 최적화된 눈썰매장이었다. 즐거움에 가득 찬 비명을 듣고 있으면 설거지하다가도 피식피식 웃음이 나왔다. 한바탕 신나게 놀고 나면 아이들은 할머니의 앤티크 샵 같은 부엌에서 홈메이드 초코칩 쿠키와 우유를 먹으며 수다 삼매경에 빠졌다. 이렇게 우리 아이들은 할머니, 할아버지의 사랑을 받으며 여름날 콩깍지 속 콩처럼 알차게 여물어 갔다. 아이들은 더 이상 외롭지 않았다.

시간이 흐르고 할아버지의 치매 증상이 심해져 요양원으로 들어가기로 하신 후, 할머니는 아이들이 좋아하는 초코칩 쿠키 레시피라며 종이 한 장을 건네주셨다. 심한 손 떨림으로 글씨 쓰기가 힘드셨을 텐데 편지지에는 볼펜으로 꾹꾹 눌러 적은 쿠키 레시피가 적혀있었다. 가늘게 흔들거리는 할머니의 필체에서 정성 들여 적으셨음을 단번에 알아볼 수 있었다. 눈물 때문에 할머니의 필체가 더 흔들거렸다.

나에게 해외살이란 좋은 사람들과 가족이라는 울타리를 넓혀가는 여정이다. 그래서 오늘도 용기 내어 어눌한 영어지만 진심을 담아 내 마음을 전해 본다.

54

장애물은 뛰어넘어야 제맛!

포에버영 (미국/샌프란시스코)

한국에서 몬테소리 유치원 교사로 일했다. 휴식 차 미국으로 어학연수 오면서 시작된 해외살이. 한인 교회에서 지금의 남편을 만나 예쁜 두 딸을 키우며 18년째 미국에 거주 중이다. 남편의 개인 비즈니스(태권도 도장)를 도우며 지금이 가장 행복한 순간임을 매 순간 느끼며 살고 있다. 처음 미국에 와 모든 것이 낯설고 신기했다. 평생 한국에서만 살거라 생각했던 내가 미국에 갈 용기는 어디서 났던 걸까? 미국행을 결정한 순간이 내 인생의 전환점이 되었다.

미국에 살면서 가장 필요한 건 운전면허다. 누군가에게 운전을 부탁하지 않으면 이동할 수 없다. 대중교통은 비싸고(거리에 따라 가격 다름. 평균 15불, 원화 2만 원/ 버스는 조금 저렴함) 장소 제한과 배차 시간이 길다. 역까지도 차를 이용해야 하며 깨끗하지도 안전하지도 않다. 그래서 미국에선 차가 필수품이다. 굴러가기만 하면 된다는 말도 있다. 한국과 다른 점은 면허를 주기 위해 시험을 본다는 것, 운전자의 차량으로 주행시험을 실제 도로로 나가서 본다는 것이다. 도로는 넓어 운전하기 좋다. 첫 면허를 미국에서 따다니. 감사하게도 차 살 형편이 아니었는데 차가 생겼다. 연식은 오래되었지만 큰 사고 후 엔진을 교체하고 팔 수 없는 등급이 되어 지인이 새 차를 장만 하며 주신 레전드! 나의 첫차. 나의 애마. 레전드는 나에게 차 이상이었다. 친구였으며 안식처였다. 힘든 하루를 그 녀석에게 이야기하고, 나와 어디든 동행했으며 우울하고 슬플 때 말없이 내 눈물을 다 받아준 녀석이었다. 그렇게 장애물을 뛰어넘을 때마다 감사가 생겼다.

하나의 에피소드를 말하자면, 면허는 있었지만 차가 없었던 때다. 바트 역(한국의 전철)에서 차로 10분 거리라는 장소로 면접하러 갔다. 차로 10분 거리라기에 한국을 생각했다. 그때는 내비게이션도 없고 지도를 보고 다녔다. 미국은 킬로미터가 아닌 마일을 사용하기에 더 거리감이 없었다. 차로 10분이란 거리는 실로 대단했다. 꼬박 3시간을 걸었다. 면접 시간보다 한참 늦은 시간이 되어서야 도착했다. 여기까지 왔는데 포기할 수 없어 죄송함을 무릅쓰고 면접을 봤다. 영어도 잘 못하는 나를 밝게 웃는 모습이 좋으시다며 내일부터 나오란다. 차가 없어 면접에 붙고도 고민했다. 그 당시 2007년이었다.

해외살이는 장애물의 연속이다. 첫째는 언어다. 모국어가 아니라 잘 들리지도 않고 말할 때마다 머리로 생각이 앞섰다. 18년을 산 지금도 영어는 나에게 참 어려운 숙제다. 두 번째는 문화다. 집에 신발을 신고 들어가는 것부터 쉽게 결혼 하고 이혼하고 친구로 지내는 모든 생활 방식이 너무나 낯설었다. 모든 것이 가족 중심이라 결혼 전 추수감사절, 크리스마스, 연말, 연초에는 너무나 외로웠던 기억이 난다. 모든 상점은 10시면 문을 닫고 거리는 썰렁하다. 건물들은 불을 켜놓고 퇴근한다. 강도가 드는 것을 방지하는 이유. 미국은 총기 소지가 가능하다. 그래서 밤이 조용하다. 우리 집에도 권총 강도가 들었었다. 셋째는 인종차별. 내가 사는 곳은 서부라 좀 나은 편이라고 하지만 내가 처음 미국에 왔을 때만 해도 인종차별은 눈에 띄게 많았다. 한국이라는 나라도 몰랐고, 한국을 알아도 "North Korea or South Korea?"라고 물었다. 지금은 한국을 모르는 사람이 없다.

해외살이하며 마음 졸이고 눈물 나는 일이 왜 없을까? 가고 싶어도 갈 수 없는 상황도, 무시당하며 자신을 자책해야 했던 일이 너무나 많다. 그래도 그 장애물을 뛰어넘어 지금의 내가 있다. 그것이 감사이고 행복이었다.

어미 독수리가 낭떠러지 위에서 새끼 독수리를 떨어뜨리며 날갯짓하는 법을 가르치듯, 해외살이가 나에겐 그랬다. 장애물이 우리 앞에 있다는 것은 큰 축복이다. 그것을 뛰어넘으면 그만큼 성장하기 때문이다. 이 모든 어려움을 허락하신 것도 큰 은혜다.

독수리가 날갯짓을 배울 때, 어린아이들이 자전거를 배울 때도, 처음 수영을 배우며 그 두려운 순간, 떨어지는 새끼 독수리를 지켜보는 어미 독수리가 있듯, 뒤에서 자전거를 붙잡아주는 부모가 있다면, 물에 빠질 때 잡아줄 사람이 있음을 안다면 그 실패나 도전이 생각만큼 두렵지 않을 것이다. 해외살이하며 이렇게 함께 할 수 있는 이들이 있어 행복하고 감사하다. 앞으로도 계속 어려움과 장애물이 있을 것이다. 당당하게 마주하자. 자신 있게 뛰어넘자. 설령 그 장애물에 걸려 넘어지더라도 말이다. 다시 일어서면 그뿐이다. 장애물은 뛰어넘어야 제맛!

55

하나씩 확장되는 나의 관점
(킨세녜라)

프리다 (멕시코/몬테레이)

닉네임을 여러 번 바꿨다. 내 삶 속에 변하는 다른 가치 따라 또 바꿀 것이다. 이름을 말할 때면 많은 분들은 멕시코 유명화가 이름 프리다 아니냐고 묻는다. 아니요, 진정한 자유를 추구하고 원해 '프리(free)다'라고 했다. 한 친구가 큰 코 작은 코는 되어도, 멕시코는 안 된다고 농담으로 던졌다. 사랑을 찾아 너머 온 멕시코댁이다. 교육 관련 일을 25년 넘게 했고, 현재는 뷰티건강테라피 관련 일을 10년 차 하고 있다. 앞으로 어떤 기대되는 일을 하게 될지 열린 마음으로 일(job)이 아닌 소명에 따라 나의 재능들을 찾아가고 만드는 것을 즐기고 있다.

첫째 임신하여 성별이 아들이라 다행이라 생각했다. 성적으로 개방된 외국에서 딸을 키워야 한다는 불안감과 15세 성인 파티 안 해도 되겠다는 안도감이었다.

국민이 가톨릭 90% 이상인 나라라 성당 관련 행사와 파티, 남녀노소 생일 파티도 별장이나 이벤트홀에서 크게 한다. 그러다 보니 거의 매주 파티이다. 여조카의 어린 시절 가족이 모이면 성인식을 어떻게 할 건지 본인이 좋아하는 연예인은 누구 초대할 건지 농담했다.

옛날에는 전통 의식 중 하나인 킨세녜라, 15세 성인식은 가족, 친인척, 지인들과 성당에서 하나님 앞에 성인이 됨과 파티 행사를 통해 축하하고 부차적으로 딸을 소개해서 결혼할 상대를 찾았다. 시대 맞게 변화는 되었지만, 행사 의식은 더 활성화되어 결혼식 이상이다. 멕시코 경제에도 큰 부분을 차지한다.

외국인인 나의 시선은 상업화로 소비를 조장해 빈부 상관없이 성당 행사비, 이벤트홀, 리무진, 밴드, 음식, 데코, 드레스, 사진, 영상이며 화려한 이벤트들이 15세에 단 하루를 위해 쓰일 비용들이기엔 지나친 과소비로만 보였다. "더 가치 있는데 쓰지."라고 비난했다. 조카에게 킨세파티(15세 생일 파티) 대신, 다른 곳 여행 가는 것 어때? 라는 질문에, 어린 나이였음에도 단호히 15세 파티는 일생에 단 한 번이지만 여행은 언제든 갈 수 있다고 했다. 가속늘와 진十블도부터 소내되어

파티를 갈 때마다 외국인으로 보는 이들의 허례 의식 같은 소비는 몇 시간 후에 끝나는걸 '왜, 굳이'라는 나의 부정적인 시선과 생각이 더 컸다.

한국에서는 중2병, 사춘기라는 말을 많이 쓴다. 이 시기의 아이들에게 누구도 근접하지 못하듯 얘기들 한다. 주변 뉴스나 소식도 상상을 초월하는 경우가 많다. 멕시코에서는 그런 표현을 잘 들어보지 못했다. 보통 청소년기 아이들은 의젓하고 어른스럽고 예의도 바르다.

첫째가 사춘기(13~15세) 나이가 되니 성인식이 다르게 다가왔다. 성당에서 행해지는 성인식은 영적인 아버지인 신부님이 하나님과 사람들 앞에서 아이가 어른이 됨을 믿음의 말씀으로 축복했다. 보석과 같은 삶의 지혜들을 당부하고 선포했다. 육체적인 부모도 사랑과 진심으로 축복하고, 모든 사람들 앞에서 한 인격체로 예우를 해주었다.

파티장에서 모든 친인척, 지인들 앞에 화려한 드레스와 하이힐을 신고 최고로 아름답게 꽃단장을 한 공주만화 여주인공처럼 무대로 등장해 아름다운 선율에 따라 춤을 춘다. 만화 여주인공처럼 이날은 온전히 이 아이에게 스포트라이트를 비춘다. 한 명씩 춤을 추며 아리따운 숙녀가 됨을 모두 지지와 관심과 사랑을 진심으로 쏟아붓는다. 준비된 어린 시절부터 현재까지의 성장 과정 영상을 다 같이 보며 얼마나 사랑을 받았으며 소중한 존재인지 공유하고 공감한다. 내가 생각했던 단 하루는 이 아이에게는 평생 잊지 못할 하루이다.

인생에서 신체적, 정신적 변화가 시작되고 불안정한 시기, 15세 생일은 단순히 화려한 파티가 아니라, 한 소녀가 성인으로 성장하는 중요한 전환점에 자신을 둘러싼 공동체의 관심과 사랑을 체감하며, 자신이 얼마나 소중하고 존중받는 존재인지, 사춘기 변화 시기에 스스로 점프할 수 있는 독립체로 든든한 지지와 버팀목이 되어, 건강한 어른으로 성장할 수 있는 믿음과 에너지를 비축했을 것이다….

한국은 사춘기 시기 아이의 변화에 충분한 정서적 지원과 지지를 제공하기보다 입시 중심 문화는 공부와 성적으로 아이들을 숨 쉴 틈 없이 몰아넣는다. 가족의 지지와 사랑, 존중의 안정감보다 불안과 불만으로, 더 밖으로 튀어 나가게 하는 것 같다. 그런 아이들을 더 이해 못하는 우리들의 모습들이 흔하다. 성인식은 아니더라도 일생에서 변화가 시작되는 이 시기에 아이에게 사랑과 지지, 존중으로 얼마나 소중한 존재임을 수시로 표현하고 격려하는 자리들을 마련해야겠다.
과소비로만 봤던 이들의 전통문화들을 의미 있고 특별한 의식으로 다시 보게 된다. 이 문화 안에 살고 있으면서도 이뿐만 아니라, 내가 가진 프레임 안에 그들을 판단하고 평가했던 잘못된 행동과 말들을 돌아보게 된다. 내가 가진 문화, 사고의 잣대로 그들을 내 프레임 안에 넣는 게 아니라, 프레임 밖의 세상을 생각하고 배우게 된다. 이렇게 확장되고 쌓여가는 나의 세계가 해외에 살아가는 매력이기도 하다.

56

아부다비에서 하노이까지

하노이아트 (베트남/하노이)

나는 호기심 많은 힙스터 미대생이었다. 대학 시절에는 힙합 클럽을 창단할 정도로 열정적이었다. 또한 디자인 조형대의 모든 과의 전공수업을 들으며 다양한 경험 쌓기를 즐겨 했던 20대를 보냈다. 세상의 즐거운 경험을 다 해보고 싶었던 20대 후반, 사우디아라비아의 한 외항사에 합격했다. 하지만 회사 사정으로 채용이 취소되면서, 꿈꾸던 승무원의 삶과 중동 라이프의 로망이 사라져 버렸다. 이미 중동의 매력에 빠져 있던 나는 이를 쉽게 포기할 수 없었다. 결국 아랍에미리트 아부다비에서 첫 해외 생활을 시작하게 되었다. 이렇게 시작된 해외 생활은 중국 상해를 거쳐 지금은 베트남 하노이에서 다양한 일로 이어지고 있다. 해외 생활 17년 차, 나는 하노이 아트다.

하노이에서 다시 찾은 나

한국, UAE 아부다비, 중국 상해에서 디자이너로 활동하며 다양한 글로벌 브랜드 디자이너들과 함께했다. 일이 즐거웠고, 내 삶에서 가장 자유롭고 여유로웠던 시기였던 것 같다. 그러나 상하이에서의 자유로운 삶을 뒤로하고 하노이로 오게 되었다. 그때는 몰랐다. 하노이에서의 삶이 얼마나 다를지, 또 얼마나 힘들지. 처음 하노이에 도착했을 때 기대했던 생활과는 너무나 달랐기에, 후회와 혼란 속에서 지냈다. '내가 여기 왜 왔을까? 그냥 오지 말걸…' 하는 생각을 매일 했다. 그러나 이런 상황들이 나를 더 단단하게 만들었다.

베트남에서 처음 겪는 어려운 상황들도 있었다. 내가 가장이 되어야 했던 순간도 있었다. '앞으로 무엇을 하며 살아야 하지?', '나는 어떤 일을 할 때 행복하지?'라는 원초적인 질문들을 하노이에서 시작했다. 그것도 마흔의 나이에…

하노이에서 시작된 슬래시 커리어 (Slash Career)

하노이에서 나는 여러 가지 일을 하고 있다. 20년 차 디자이너로서 여전히 다양한 프로젝트를 진행 중이다. 입시 미술 학원 강사로 학생들을 가르치면서 학생들의 꿈을 응원하고 지지했다. 자아를 찾기 위한 포트폴리오 콘셉트 수업을 기획하고 진행했다. 내가 강사로 있었던 기간 동안 미대 입시 합격률은 100%였다. 현재까지도 하노이에서 미대를 준비하는 학생들이 훌륭한 결과를 얻고 있다.

또한 두 아이의 교육에 집중하면서 교육 콘텐츠에 관해 관심이 커졌다. 영어 교육 콘텐츠를 해외 1호점으로 하노이에서 성공적으로 런칭하고 운영했다. 몇 년간 온라인 유통 사업을 진행하며 7개의 오프라인 매장과 온라인 채널을 운영하며 유통 큐레이터로서도 활동하고 있다.

이렇게 다양한 일을 하며 내 관심사와 재능을 발휘하는 사람을 '슬래셔(Slasher)'라고 부른다. 나는 '디자이너/입시 미술 콘셉트 강사/독서 훈련 지도사/영어 보컬 강사/유통 큐레이터'라고 할 수 있다. 디자이너라는 직업을 제외한 모든 일들은 이곳 하노이에서 시작되었다.

취미가 사업으로 전환되는 순간!

인테리어 디자이너와 입시 미술 강사로 일하던 어느 날, 친한 지인이 단톡방을 운영하다 한국으로 귀국하면서 '언니 이 단톡방 한번 운영해 볼래?' 하며 제안했다. 7년 전만 해도 하노이에서는 내가 원하는 물건들을 찾기 힘들었다. 하노이에 없는 한국의 화젯거리 디저트나 구하기 어려운 상품들을 구매해서 혼자 기뻐하고 뿌듯해하던 시절이 있었다. 당시 여러 단톡방에서 판매되는 핫 아이템과 신상품들은 나에게는 이미 익숙한 것들이었다. 새로운 상품을 소개하고 공동 구매하는 일을 하면 참 재미있겠다는 생각이 들었다.

그렇게 시작된 취미 생활이 점차 사업으로 발전하기 시작했다. 15년 차 디자이너로 일하던 내가 베트남에서 유통 사업을 시작한 순간이었다. 매일 신제품을 소개하는 단톡방을 운영하면서, 하루도 빠짐없이 새로운 상품을 소개하고 있다. 하노이에서 바쁘게 뛰어다니며, 전 세계에서 제품들을 소싱하고, 식당 사장님들과 상품을 개발하는 과정은 즐거움 그 자체. 현재는 홈쇼핑 MD 출신인 남편과 함께 회사를 이끌고 있다. 취미로 시작한 일이 나의 또 다른 커리어로 자리 잡았다.

프리패스가 가져다준 사명감!

코로나 기간 하노이의 봉쇄는 정말 길고 힘들었다. 내가 사는 아파트가 갑자기 봉쇄되면서 아침에 출근한 남편들은 집에 돌아오지 못하고 회사에서 텐트를 치고 생활해야 하는 상황도 벌어졌다. 그 시기에 나와 남편은 오토바이를 타고 봉쇄된 도로를 넘나들며 일상을 이어갔다. 마트 운영자들에게 발급된 통행증 덕분에 봉쇄된 도로를 자유롭게 다닐 수 있었다. 일종의 프리패스였다. 밖에 나가고 싶어도 나가지 못하는 교민들이 얼마나 답답할지 생각하며, 내가 할 수 있는 일은 더 좋은 상품과 맛있는 먹거리를 찾아 제공하는 것이었다.

유통 사업을 전개하면서 사명감이 들었던 순간이었다. 하루에 두세 시간만 자면서도 소싱하고, 브랜딩하고, 디자인하며 회사를 성장시켰다. 직원 채용과 마트와의 합병을 통해 단톡방 하나로 시작한 사업이 현재는 1개의 식자재 마트와 7개의 오프라인 매장, 온라인 채널을 운영하는 회사로 성장했다.

시작할 용기를 찾기 위해 떠나는 여행길

하노이에서 보낸 8년 동안, 나는 끊임없이 도전하고 성장해 왔다. 남편과 함께하는 유통 사업은 여전히 성장 중이며, 그의 리더십 아래 현지화를 진행 중이다. 동시에 나는 디자이너와 교육자의 길을 걸어가고 있다. 어떤 일을 하든지 누군가와 함께 성장할 수 있다면, 그것은 나에게 기쁨을 가져다준다는 것을 깨달았다.

해외에서 생활하다 보면 가끔은 '나는 누구인가? 여기 어디인가?'라는 생각에 자아를 찾고 방황하기도 한다. 그럴 때면 자신을 돌아보는 시간이 필요하다고 느낀다. 내가 하고 싶은 일이 누군가에게 도움이 된다면, 그 일을 시작할 용기를 가져야 한다고 생각한다.

하루하루가 새로운 도전이고, 매 순간이 성장의 기회다. 그렇게 하노이에서의 삶은 나에게 끊임없는 배움과 성장을 선물해 준다. 이 여행길에서 어떤 새로운 만남과 경험이 나를 기다리고 있을지 기대가 된다.

앞으로 또 어떤 일을 하게 될지는 잘 모르겠다. 그러나 어디서든 시작할 용기를 찾기 위해 오늘도 나만의 여행길에 오른다.

57

별난 해외살이

하루 (베트남/하노이)

어디서 살아도 상관없다! 인터넷만 있다면 아프리카도 내 낙원~ 중국 각지에서 살
다 베트남으로 넘어온 하고 싶은 것 많고, 호기심 많은 아줌마입니다. 다음에는 어
느 나라에서 살게 될까? 두근두근 기대하고 있습니다.

"근데 가방은?"

가족과 함께 마카오로 여행을 갔던 그날, 예상치 못한 모험이 우리를 기다리고 있었다. 택시는 지겨우니 버스를 타보자는 엄마의 제안에 버스를 타고 시내를 돌아다니며 즐거운 시간을 보내던 중, 기사 아저씨 뒷자리에 가방을 놓고 내렸다. 가방 안에는 여권과 지갑이 들어있었는데, 이것을 알아차린 순간 버스는 이미 사라진 후였다. 당황한 나는 정류장으로 달려가 봤지만 이미 버스는 떠나고 없었다.

"와 칼 루이스보다 더 빨라!" 사태의 심각성을 아는지 모르는지 남편이 옆에서 장난을 친다. 남편과 나는 마카오에 체류하면서 여권을 재발급받을 수 있었지만, 문제는 엄마였다. 엄마는 비행기 표가 이미 예약되어 있었고 체류 기간도 얼마 남지 않았다. "국제 미아 되는 거 아니야?" 호텔을 나설 때부터 엄마는 엄마의 여권은 당신이 챙기겠다고 하셨지만 번거롭게 뭘 그렇게 하냐고 내가 우겨서 가방에 넣은 것인데!!! 급하게 대사관에 연락했지만, 주말이라 도움을 받을 수 없다는 답변만 들을 수 있었다.

정류장에 있던 경비원 아저씨께 도움을 청해 마카오 버스 회사의 전화번호를 알아냈지만, 버스 회사와 소통이 되지 않았다. 나는 북경어만 할 수 있었고, 버스 회사는 광둥어만 할 수 있었던 것. '아니 마카오가 중국에 반환된 지가 언제인데 아직도 이런 공식(?) 기관에서 북경어를 못 한단 말이야?!' 속으로 말도 안 되는 원망도 잠시 했다. 중국 생활 5년의 결과물이 이것이란 말인가! 나의 이 유창한 중국어 실력은 아무 소용이 없단 말인가! 마카오도 중국이라 당연히 말이 통할 거로 생각한 것이 오산이었다. 이때 경비원 아저씨가 주변을 돌아다니시며 북경어를 할 수 있는 사람을 찾기 시작하셨다. 마침내 한 분이 도움을 주셨고, 상황은 급물살을 탔다.

신고를 받은 경찰관분들도 오셔서 우리는 경찰차를 타고 경찰서로 향했다. 한국에서도 타본 적 없는 경찰차를 타게 되다니, 어린 딸은 신기해하며 연신 "우와"를 외쳤지만, 나는 긴장으로 가득했다. 이렇게 잡혀가는 건 아니겠지?

경찰서에서 분실물 신고를 마치고 나니, 버스 회사에서 가방을 찾았다는 연락이 왔다. 그런데 지갑도 가방 안에 있어 수중에 돈이 한 푼도 없었고 또 가방을 찾는다고 해도 지갑이 가방 안에 그대로 있다는 보장이 어딨는가! 돈도 없고 카드도 없고 중국이나 한국에 연락한다 한들 계좌도 없는데 돈을 어떻게 받지?

난감했지만 이대로 경찰서에 있는다고 별 뾰족한 수도 없으니 일단 무작정 택시를 잡아타고 종점으로 향했다. 돈이 없으니, 택시에서 내릴 수도 없다. 택시 기사님께 양해를 구하고 잠시만 기다려 달라 부탁한 뒤 가방을 받아 돌아오는데 물건들이 잘 있을까 너무 긴장되는 순간이었다!

두둥! 가방 안은 그대로였고, 아무도 손대지 않은 것을 보며 마카오 시민들의 시민의식에 정말 감탄했다. 그제야 긴장이 풀리며 기분이 좋아진 우리는 레스토랑에서 멋진 저녁 식사를 하며 하루를 마무리했다. 엄마와 남편은 "너랑 다니면 별일이 다 있다."라며 웃음을 터뜨렸다. "에피소드 하나 추가요~!"

엄마는 지금도 말씀하신다. "응, 내 여권은 내가 들고 다닐게!"

58

그래, 쫄지 마! 잘하고 있어!

해빙킴 (미국/애틀랜타)

22년 전 마음이 잘 맞던 동창과 결혼 일주일 후 중국으로 함께 떠나 6년, 미국 보스턴으로 와서 11년, 현재는 애틀랜타에 거주 중이며 코로나 덕분에(?) MKYU를 알게 되었고 북클럽으로 알게 된 결이 비슷한 좋은 동료들로 인해 선한 영향력을 받으며 오늘도 1% 더 성장하기를 바라는 '꿈꾸는 대로 사는 긍정 부자' 해빙킴이다.

"누구세요?" 문이 열렸다.

까만 얼굴에 하얀 이빨을 드러내며 히죽 웃는 청년이 문 앞에 나타났다. 그 웃음은 환영하는 미소가 아니라, 마치 '웬 동양인 간호사?'라는 의아한 눈빛과 함께 조롱 섞인 미소였다. 그는 나를 위아래로 훑어보았다. 나는 애써 아랑곳하지 않고 목에 걸려 있던 신분증을 살짝 들어 올리며 말했다. "메리 심슨 씨 (가명) 계신가요? 오늘 인터뷰를 담당한 김 간호사입니다." 청년은 살짝 히죽거리며 건들대며 말했다. "우리 할머니에요. 들어오세요." 청년의 뒤쪽으로 허리를 잘 펴지 못해 구부정한 자세로 손을 내밀며 날 반기는 흑인 할머니가 보였다. 집으로 들어서니 깔끔하게 정리된 책들과 화분이 눈에 띄었다. 거실 중간의 소파로 나를 안내해 그곳에 앉으며 나는 바로 노트북을 꺼내 들었다.

이제는 환자의 이름과 나이 등을 동시에 물으며 노트북을 꺼내는 것이 능숙해졌다. 간호대학을 졸업한 후 나는 서울의 한 종합병원 외과 병동에서 간호사로 일했다. 3교대 근무, 특히나 밤 근무가 지긋지긋해지던 차에 결혼과 함께 일을 관두고 중국으로 떠났다. 중국에서 6년을 보낸 후, 친정 식구들이 있는 미국 보스턴으로 왔다.

오자마자 둘째를 출산하고, 100일쯤 지나면서 미국 간호사 자격증을 공부해 따놓았다. 하지만 아이를 키워야 한다는 핑계로 간호사 일을 최대한 미루었다. 사실 잘하지 못하는 영어로 환자를 봐야 한다는 부담감이 가장 컸다. 또 다른 이유는 밤 근무였다. 하지만, 이 또한 내가 너무 미국 시스템을 모르는 데서 기인했다. 미국은 정말이지 '다양한' 분야에서 간호사를 필요로 한다. 굳이 밤 근무 안 해도 할 일들은 무척이나 많다.

결혼과 동시에 시원하게 그만두었던 일을 아이도 크고 영주권도 나왔고, 친정엄마가 아이를 봐주겠다고 하니 더는 미룰 수 없었다. 온라인에 이력서를 올렸다. 일을 그만둔 지 10여 년이 흘렀다. 올리면서도 속으로 생각했다. 미국에서 대학을 나온 것도 아니고, 일을 한 경험도 없는 나 같은 아줌마를 누가 뽑을까? 하지만 엄마의 간절한 기도 덕분이었을까? 몇 주 후, 생각지도 못한 곳에서 전화가 왔다. 인터뷰하고 싶다고, 인터뷰 날이 되었다. 그날 알았다. 내가 어떻게 서류 심사에서 통과되었는지. 이력서 끝에 한국어와 중국어가 가능하다고 적어 놓은 것이 중국계 인사과장의 눈에 띄었다. 중국어와 영어가 뒤섞인 면접을 운 좋게 잘 마치고 돌아온 그날 오후, 인사과로부터 전화가 왔다.

"축하합니다. 면접에 통과되었고 연봉은 이만큼 생각합니다. 받아들이시겠습니까?"

당연히 "Yes"지! 연봉도 생각보다 많았다.

며칠 후 얼떨떨하고 들뜬 마음으로 계약서에 사인하고 첫 오리엔테이션을 받던 날의 감격은 이루 말할 수 없었다. 오리엔테이션을 받는 한 달 내내 나 스스로 부족한 영어가 걱정되어 교육 내용을 녹음해 와서 지겹도록 들었다. 거의 모든 순간, 나도 모르게 영어에 대한 스트레스로 주눅이 들어 있었던 것 같다. 그렇게 긴장과 감사가 섞인 하루하루가 3개월 지난 후 간호감독과 함께하는 평가의 날도 무사히 통과되고, 연봉은 인상되었다. 이곳은 3개월, 6개월, 1년 단위로 평가하는 날이 있고, 이걸 잘 통과하면 급여도 인상된다. 그렇게 6개월이 지나 이제는 일이 익숙해진 어느 날, 나는 이 흑인 할머니와 그녀의 손자를 만났다.

할머니는 제스처와 눈빛이 한국의 여느 할머니들과 비슷했다. 자기의 필요를 도와주러 온 나에게 협조적이고 깍듯했다. 하지만 말이 느리고 아픈 할머니를 대신해 거의 모든 질문에 대답하고 있는 이 청년은 질문의 1/3이 다 되어갈 때까지 의자에 비스듬히 앉아 내가 그의 대답을 잘 못 알아들어 다시 물어보면 짜증 난 얼굴로 겨우 대답하고, 나의 어떤 질문들은 자꾸 히죽거리며 "뭐라고"를 외치며 실실거렸다. 이건 아니다 싶었다.

'탁' 하고 내 노트북을 닫았다. 눈에 힘을 주고 그 청년에게 물었다.

"너희 할머니 도움이 필요하니?" 나의 단호한 눈빛에 사뭇 당황한 청년이 몸을 바로 세우며 그렇다고 대답했다.

"그런데 너의 태도는 그렇지 않은 것 같아. 인터뷰를 계속하길 원하니?" 청년은 어리둥절하다는 손짓을 하며 당연히 인터뷰를 마저 할 거라 했다.

"나는 너희 할머니를 돕고 싶은데 너는 그런 나를 전혀 돕고 있지 않네!" 옆에 있던 할머니는 미안해하고 고마워하며 손주를 나무랐다.

그 후 손자의 적극적 협조로 인터뷰를 금방 마치고 일어섰다. 할머니가 손을 잡고 포옹하며 연신 고맙다고 하셨다. 나 역시 할머니께 건강히 지내시라 인사한 후 그 집을 나오는데, 그때까지도 가슴이 콩닥거렸다. 혹시 회사로 항의하면 어쩌지, 내가 너무 뭐라 한 건가? 여러 생각이 들었다. 하지만 한편으로는 너무나 속이 시원했다. 아무리 생각해도 그런 상황에서 나의 부족한 영어를 자책하며 주눅이 들어 그 조롱 섞인 행동들을 그대로 두었다면, 그는 매번 영어가 모국어가 아닌, 악센트가 심한 누군가를 만나면 그렇게 조롱 섞인 행동을 서슴지 않겠지. 그렇게 생각이 미치자 마치 해야 할 일을 해낸 듯 뿌듯하기까지 했다.

그래, 쫄지 마! 잘하고 있어.

59

노을과 함께 출렁이다.

해피퀸 (미국/로스앤젤레스)

유연한 듯 화끈하지만 진솔한 사람. 이기적인 것은 정말 싫어하는 더불어 살아가는 삶을 지향하며 나름 선한 영향력을 끼치며 최선을 다해 조용한 가운데 미국 속 한국 여인들과 어우러져 살아가고 있는 여인.

난 누구? 나는 지금 어디쯤 와 있는가….
무심코 내다본 뒷마당의 풍경으로 그 아련함 속
저녁노을 여행이 시작되었다.
난 그동안 무엇을 놓치고 살았는지….
상실, 작은 행복. 손톱만큼의 작은 여유 부려봄이 너무도 크나큰
가슴 벅찬 행복감을 안겨주는 모든 욕심을 한순간 사라지게 하는
이 말할 수 없는 미묘하고 환상적인 거대한 하늘의 움직임을
혼자 대하는 게 너무도 안타까웠다.

잠시 어린 시절의 아련함이
어릴 적 해 질 녘이면 삼 남매가 쪼르륵 앉아서 부르던 노래
오늘 문득 생각이 났다.
해당화가 곱게 핀 바닷가에서….
해는 져서 어두운데 찾아오는 사람 없어….
난 레퍼토리가 떨어질 때까지 노래를 불렀었다.

고등학교 시절 하굣길 버스 속에서 우린 재잘댔었다.
"애들아, 20년 후에 지구가 멸망한다는데."
"우리가 40살이 다 되는데 아휴 늙은 아줌마들 죽어야지."
"그때 살아있는 애들은 정문 앞에서 만나자."라며
우린 깔깔대며 웃곤 했었다. 그 약속을 기억하며 학교 정문 앞에 모인
애들이 정말 있을까? 난 그 생각을 가끔 했지만 가보지도 가보려고

도 시도할 생각도 전혀 안 했다. 같은 생각을 하는 친구들이 혹시 있을까?

해 질 녘은 똑같은 해 질 녘인데 그 시절의 나와 지금의 내 느낌은 해는 져서 어두운데…. 낯선 타인의 땅에서 부대끼며 사는 이민자들의 뒤엉킨 관계들 모두 시절 인연에 애달아하면서도 모두가 성공한 스푼이 되고자 또다시 일어서 열 일들을 한다. 인생은 그저 한두 사람 붙잡고 사는 거라고 관계에 목매지 말라고 하지만. 그러나, 마음 헤아림의 깊이로 관계는 이루어져 가는 것 같다.

초창기 미국 생활의 유일한 취미는 반스 앤 노블 서점으로의 나만의 산책 시간이었다. 혼자 노는 여유로움, 유일한 나의 행복한 놀이터였다. 눈치 볼 일도 없이 예쁜 책을 쌓아놓고 쓰다듬으며 흐뭇한 미소 머금은 채 알 수 없는 꼬부랑글씨들이지만 그림으로 색감만으로 충분했다. 희망의 아름다움으로 배부르게 가득 채워진 나의 힐링 된 정신세계를 한 아름 앉고 또 한 주일을 버텨낼 풍만함에 수채화로 번 짓듯한 미소를 머금은 채 두 시간쯤 행복한 사치를 부리고 집으로 돌아오곤 했다.

안타깝게도 지금은 그 스토어 들이 많이 없어졌다. 잠자는 걸 좋아하지 않는 나는 남들 다 자는 시간에 이것저것 하는 것으로 흐뭇한 충만함을 느꼈었다.

그러나 어느 순간 살면서 모든 게 뒤엉키고 도무지 해결점이 보이지 않는 앞이 깜깜한 더 이상의 길이 없다는 코너에 몰렸을 때, 난 무조건 이불 뒤집어쓰고 깊은 동굴 속으로 잠을 청한다. 아무 생각 없이 잔다. 자고 또 자고 깊게 잔다. 그게 유일한 나의 해결책이다. 깊은 잠에서 털고 일어났을 땐 머릿속에 모든 것이 정리되어 길이 보인다. 새로운 대안이, 대책이, 조력자들이 떠오른다. 삶이 괴롭고 코너에 몰렸을 땐 자는게 최고다. 그냥 아무 생각 없이 잠을 청하라고 권하고 싶다.

내가 가고 싶은 길이란? 아직도 생각 중이다.
너무 오랜 망설임의 끝은 남들이 다 가져간다는 사실을 잘 알면서도 나는 오늘도 생각이 많다.
나 돌아갈래···. 어디로?
어린 시절로? 노~ 노
다시 살아내고 싶은 생각도 또, 오래오래 살고 싶은 생각도 없다. 이젠, 어우러짐 속에서 평범하게 편안함과 자유로움을 만끽하며 살고 싶다.
그날, 저녁노을은 정말 아름다웠다고···.
그날 오후를 기억하며 마음 밭에 불이 붙었다.
머릿속이 보랏빛 라벤더. 들꽃?? 꽃밭으로 가득하다.
해 질 녘 느껴지는 노을의 냄새에···.

60

우리 아이는 저녁 7시 반에 자요.

현모양처 (호주/멜버른)

한국에서 교육심리학을 전공하고 진로의 꿈을 향해 나아가려는 찰나, 인생이 아직 무엇인지 알지 못했던 20대 중반에 호주행 비행기에 올랐다. 그 뒤로 인생의 다음 장이 이렇게 다이나믹하게 펼쳐질지 전혀 몰랐지만, 지금은 앞으로의 미래가 더 기대되는 매일을 살고 있다. 호주에서 응용언어학 석사 후 통역사와 대학 강사 등 여러 일을 즐겁게 하면서 깨달은 점은, 사랑하는 남편을 내조하고 딸 둘, 아들 둘의 몸과 마음을 건강하게 잘 양육하는 것이 인생에서 가장 중요하다는 것이었다. 가족이 순풍에 돛단배처럼 살 나아가기 위해서 오늘도 나는 행복과 여유가 가득한 마법의 가루를 뿌린다.

호주에 온 지 벌써 20년이 되어간다. 여러 해를 멜버른에 살다 마침 코로나 때 MKYU를 알게 되고 김미경 강사의 모닝 챌린지를 시작하면서 한국과 호주의 장점을 모두 배워 한 단계 더 도약하는 기회가 있었다. 그 일환으로 이번에 해외에서 모닝 챌린지를 했던 사람들과 함께 내가 경험한 호주 사람들의 시간개념과 생활 습관의 이야기를 나눠보고자 한다.

한국에서 효율적으로 시간을 관리하는 것은 빨리빨리 문화와 같이 일상 속 빠른 템포를 온 국민이 자연스럽게 공감하는 문화 중 하나라고 생각한다. 지하철로 대학에 다니던 시절에 나는 시간을 최대로 활용하려고 일부러 갈아타기 좋은 출입구 근처에 앉아 종종걸음으로 최단 거리를 이동했다. 출퇴근 시간에는 배차 간격도 짧아 5분 이내에 금방 다른 지하철이 오지만, 지금 들어오고 있는 열차를 놓치지 않으려고 늘 마음이 급했던 기억이 아직도 난다. 온라인 쇼핑에서는 마법 같은 당일 배송도 가능하고, 클릭을 하기도 전에 화면이 열리는 듯 너무나 빠른 인터넷 서비스를 당연하게 생각하며 살다 호주에 오니 눈앞에 새로운 미지의 세계가 펼쳐졌다.

인터넷은 느려서 로딩 화면이 하염없이 눈앞에서 돌고 있을 때가 부지기수이고, 응급실에서 4시간 넘게 기다렸다가 진료받았을 때는 내가 간 곳이 응급실이 맞는지 의아할 정도였다. 하지만 내가 겪은 거북이 서비스의 최고봉은 주문 제작 침대였다. 새집으로 이사 올 때 침대랑 서랍장을 세트로 주문했는데 최대 3개월 걸린다던 것이 중간에 직원이 아파 일이 늦어졌다며 결국 4개월 반 만에 침대가 왔다. 나는 그동안 텅 빈 방 카펫 바닥에서 오랜 생활을 했더니 나중에 오히려 침대에서 자는 것이 어색할 지경이었다.

그러나 이렇게 일 처리는 늦고 서비스도 느린 이곳 사람들이 의외로 생각보다 잘 지키는 좋은 생활 습관이 있다. 그것은 일정한 기상과 취침 시간이다. 느릿느릿 일하고 칼퇴근하면 저녁에 시간이 많아 밤에 늦게 잘 것 같은데 주변 호주 사람들은 10시 전에 취침하고 늦게 잔다고 걱정하는 것이 밤 11시이다. 부모가 10시에 자면 저학년 아이들은 몇 시에 잘까? 한국에서는 정말 상상도 할 수 없는 저녁 7시 반이다. 어린이 티브이 프로가 7시 반이 되면 굿나잇하며 끝나고, 그때 되면 모두 잠옷 입고 침대로 간다. 어렸을 때 7시 반에 저녁을 먹거나 아니면 불이 환하게 켜진 거실에서 놀던 기억이 선명해서 대낮 같은 이 시간에 누워서 잔다는 것이 정말 놀라웠다.

호주에서 수면의 질과 양은 정말로 중요하다. 커피는 점심 식사 이후로는 마시지 않기 때문에 대부분의 카페가 3시에는 문을 닫는다. 보통 한국에서 저녁 먹고 밤 9시 넘어 후식으로 커피 한 잔을 마셨기 때문에 카페 문 닫는 시간이 처음에는 전혀 이해가 되지 않았지만, 이제는 호주 문화를 점점 이해하고 있다.

다른 예로, 아기가 태어나면 같이 자는 한국과 달리 호주는 부모와 방을 따로 쓴다. 그 이유는 아이의 독립성뿐만이 아닌 부모 수면의 질도 육아에 중요하다고 생각하기 때문이다. 올해 큰 애가 중학교에 입학하여 얼마 전 학부모 설명회에 참석했는데, 교장 선생님께서 이제 중학생이 되었으니 8시 반에 재우라고 하셨다. 한국 상황에서는 말도 안 되는 이 말씀이 사실은 정답인 것이 잠을 규칙적으로 충분히 자는 것이 당장은 생산성이 낮고 느려 보여도 멀리 보면 이 여유 있는 속도가 인생에 건강한 것이기 때문이다.

아이들 교육에 대한 호주 부모들의 다른 시각도 흥미롭다. 자녀 교육에 대한 부모의 열정은 한국이나 호주나 비슷하다고 생각하지만, 그 방법에는 큰 차이를 보인다. 한국은 아이들을 학교에 조기 입학시키는 것을 자랑으로 여기지만 여기는 1년 뒤에 보내는 것을 더 선호한다. 혹여 조금 어려서 학교 과정이나 친구 사귀기가 힘들지 않을까 생각되면 바로 입학을 1년 뒤로 연기하고 오히려 또래 중에 나이가 좀 더 많으면 보다 유리할 것이라고 안심한다. 예전 3학년, 5학년처럼 홀수 학년에 주 전체에서 보는 시험 설명회 때 일이다. 학교에서 전혀 시험 준비할 필요가 없다고 하는데도 그런 시험은 나중에 더 커서 봐도 되는데 왜 3학년이 봐야 하느냐며 자신감 떨어질 수도 있으니 안 봐도 되는지 질문하는 학부모가 있었다. 시험 과목과 일정을 열심히 받아 적다 저 질문을 듣고 잠시 놀라서 시험 목적을 진지하게 다시 생각해 본 날이었다.

공부와 관련된 것은 천천히 해도 괜찮다는 사고방식이 호주 학부모의 전반적인 생각이지만 운동은 일찍 시작하는 것이 좋다고 하는 것은 공부를 중시하고 운동을 경시하는 한국과 또 다른 점이다. 유치원 때 대부분 수영을 시작으로 초등학교 저학년 때부터 농구나 축구 같은 팀 스포츠를 하고 이런 운동은 중고등학교를 지나 성인이 되어서도 지속되는 경우가 많다. 하지만 여기서도 문화 차이가 나온다. 한국 코치는 효율적으로 진도를 빨리 나가게 지도해주는데 호주 코치는 노는 건지 배우는 건지 모를 정도로 천천히 가르치기 때문이다. 하지만 시간이 지나면 아이들 실력이 느는 것은 비슷해지고 꾸준히만 한다면 결국 운동을 즐기는 경지에는 모두 다 올라간다.

각 나라에 맞게 문화가 발달하여 있고 그 속에는 어느 것이든 장단점이 공존한다고 생각한다. 빠르게 해결하는 문화 덕분에 한국은 전 세계에서 가장 가성비 높은 편리한 생활을 영위할 수 있는 혜택이 있지만 그 속도에 서비스를 맞추기 위해 과도하게 노력해야 하는 단점이 있다. 너무나 느려서 불편한 점이 한두 개가 아닌 호주에는 일이나 공부, 운동이든 모두 서두르지 않고, 일찍 자고 일찍 일어나는 건강한 하루를 사는 사람들이 많다는 것이 장점일 수 있다.

결과 나는 늘 야행성으로 올빼미 생활을 했던 과거를 과감히 청산하고 아침형 호주식 생활 패턴으로 바꾸고 있다. 모닝 챌린지를 시작하면서 여유가 좀 더 생겨 나와 가속을 위한 계획을 세우고 실천하고 있다. 그 중 40대 중반에 새로 수학과 화학 공부를 시작한 것이 나에겐 큰 변화이다. 아이들은 여러 운동을 즐겁게 하고 있고, 온 가족 모두 일찍 취침하려 노력한다. 이러한 작은 이야기들이 서로 부족한 점을 배울 수 있는 첫 단계인 한국과 호주의 장단점을 이해하는 계기가 되기를 바란다.

61

일본어 에피소드

효니 (일본/효고현)

한국에서 일본어를 전공했지만, 일본어가 들리지 않고, 입에서 나오지 않았다. 비싼 등록금이 아까웠다. 이왕 이렇게 된 거 끝을 보자는 마음으로 일본 유학을 하게 되었다. 언어를 배우기 위해 온 나라에서 당시 한국보다 높은 시민의식과 비싼 엔화에 일본에 반했다. 지금은 일본인 남편과 8살 아들을 키우며 일본의 조용한 동네에서 한국어를 가르친다. 개인 한국어 교신뿐만 아니라 일본 국가 공무원들을 대상으로 하는 기관에서 한국어 강의도 하며 나 또한 한국어를 공부하고 있다.

일본에 산 지 10년이다. 그런데 아직도 헷갈리는 일본어가 많다. 그중에 톰비(매)와 톰보(잠자리)는 지금도 헷갈린다.

어느 날 바닷가로 캠핑하러 갔다. 나무 그늘도 많고 시원해서 그늘막을 설치하지 않았다. 나는 바비큐를 준비하고 있었다. 갑자기 큰 매가 나무에서부터 날라와 우리의 통삼겹살을 들고 날랐다. 나무에서 보고 있었다. 역시 매의 눈이다. 우리는 점심 메뉴는 잃었지만, 바닷가 캠핑을 할 때에는 그늘막을 꼭 설치해야 한다는 교훈을 얻었다.

며칠 후 동네에 사는 일본인 친구가 집에 놀러 왔다. 나는 캠핑에서 매가 돼지고기를 낚아채 간 이야기를 해 주었다.
"지난 주에 캠핑하러 갔는데 톰보(잠자리)가 돼지고기를 낚아채 갔어."
기대어있던 의자 등받이에서 몸을 일으켜 세우며 친구가 이야기했다.
"톰보(잠자리)가?"
"응! 처음부터 내가 고기를 꺼내는 것을 숨어서 지켜보고 있었더라고"
친구는 큰 눈을 더 부릅뜨며 말했다.

"톰보(잠자리)가 돼지고기를??"
"응! 나무 위에서 유심히 우리를 보고 있다가 고기를 꺼내자마자 날아와서 발로 돼지고기를 낚아채 갔어."
도저히 믿을 수 없는 일이라는 얼굴로 친구는 감탄했다.
"진짜? 어머 어머 대단한 톰보(잠자리)다. 톰보(잠자리)가 돼지고기를 먹는다는 이야기는 들어 본 적 없어. 진짜 대박이다."

매가 생고기를 먹는 것은 어릴 적부터 알고 있는 상식이다. 나는 이 친구가 오버한다고 생각했다.

"엥? 무슨 소리야 톰보(잠자리)는 원래 생고기 먹잖아"

친구는 의아해했다.

"진짜?" 친구는 믿을 수 없지만 수긍하는 얼굴이었다.

뭔가 이야기가 이상하게 흘러가고 있다고 느꼈다. 그제야 내가 톰비(매)를 톰보(잠자리)라고 말하고 있었다는 것을 알아차렸다. 친구와 나는 바닥을 데굴데굴 구르며 한참을 웃었다. 나중에 내가 친구에게 톰보(잠자리)가 돼지고기를 집어 갔다는 말을 어떻게 믿을 수가 있냐고 물어봤다. 친구는 그 동네 톰보(잠자리)는 똑똑하고 힘이 센 톰보(잠자리)인 줄 알았다고 했다.

이뿐만이 아니다. 버스 요금을 내는 요금통을 일본어로 운친 바코(운임 통)라고 한다. 초등학교 3학년인 아들과 아들의 친구가 처음으로 자기들끼리 버스를 타는 날 요금 내는 방법을 설명할 때의 일이다.

"탈 때 표를 뽑고, 내릴 때 표와 돈을 운치 바코(똥통)에 넣는 거야."

아들과 아들의 친구는 처음에는 놀란 얼굴이다가 깔깔거리며 웃기 시작했다. 어설픈 한국인 엄마의 일본어 발음 때문에 버스 요금을 똥통에 넣으라는 뜻으로 들은 것이다. 우리 아들은 아직도 버스만 보면 똥통 이야기를 한다.

또 한 번은 일본에 킹삐라 고보우(우엉 무침)라는 반찬이 있다. 나는 결혼하고 무려 7년간 칭삐라 고보우 (양아치 우엉)라고 말하고 다녔다. 이 사실을 알게 된 날은 남편의 고등학교 친구들을 집에 초대한 날이었다.

"저는 일본 반찬 중에 칭삐라 고보우(양아치 우엉)가 참 맛있어요."

"칭삐라 고보우(양아치 우엉)요?"

인생이 코미디인 우리 남편은 일부러 나의 잘못된 일본어를 지적하지 않았다고 했다. 남편은 내가 '양아치 우엉'이라고 할 때마다 속으로 키득키득 웃었다고 했다. 그날도 모두는 웃었지만 난 아주 창피했었다.

해외살이하면서 언어의 차이로 인해 생기는 오해와 웃음은 종종 있다. 재미있는 언어의 오해와 웃음을 통해 서로에 대한 이해를 높일 수 있다. 이러한 에피소드들은 인생을 더 풍요롭고 재미있게 만들어준다. 남편이 일부러 잘못된 일본어를 지적하지 않고 함께 웃음으로 나눠 준 것도 외국인인 나에 대한 이해와 배려였을 지도 모른다.(분명 그랬을 것이라고 믿고 싶다.)

해외에서 막상
살아보니 어때요?

여전히 새롭고 신기해요 | 사람 사는 곳 다 똑같아요 | 남의 시선 상관없어 좋아요
어디든 재밌어요 | 내가 이끄는 대로 가는 삶 새로운 세상 새로운 삶
이젠 외국 느낌 안 들어요 | 내 지경이 넓어진 느낌 | 셀렘과 불안함의 카오스
이젠 익숙해져서 편해요 | 지구인이 된 것 같아요 | 다른 나라도 궁금해요
한국이 더 편한 것도 있지만, 이제 여기도 제 나라 같은 느낌이에요
아직 부모님이 계신 한국이 그립지만, 가족 삶이 제 삶이기에 이곳이 편해요
제2의 고향입니다 | 좋지만 긴장하며 살아요 | 내 인생의 터닝포인트
바쁘게 돌아가는 한국보다 여유로워요 | 이제는 여기가 더 편해요
다양함을 인정할 수 있게 되었어요 | 인내심의 달인이 되었어요
여유 있고 배려 있고 치열한 경쟁 없고 | 인내, 이해, 도전정신 레벨업
딱 하나. 한국음식 생각나요 | 다시 한국 가서 살 수 있을까?
도전해 볼 수 있는 일이 많아요 | 남과 비교하지 않고 살아서 좋아요

해외굿쨱은 전 세계 30여 개국에서
해외살이를 하고 있는 이들이 모인 글로벌 커뮤니티입니다.

프로젝트 총괄 기획 | 글로비상, 주주월드
프로젝트 디렉터 | 달래
팀장 | 프리다, 루씨, 아리아, 달씨, 오틸리아

편집팀
팀장 | 샤이니
팀원 | 티나O, 시애틀 양말, 줄리아, 야시

디자인팀
팀장 | 루씨
표지 일러스트 | 메이링, 실비아
표지 디자인 | 코코, 루씨
본문 디자인 | 쥴리아츠, 재팬 마이데일리